Adelina Brant

Das Erste Englische Lesebuch für Familien

(farbig illustrierte Ausgabe, Band 2)

Stufe A2

Zweisprachig mit Englisch-deutscher Übersetzung

Das Erste Englische Lesebuch für Familien (farbig illustrierte Ausgabe, Band 2)
von Adelina Brant

Homepage www.audiolego.com
Erste Auflage
Umschlaggestaltung: LPP Design

Table of contents
Inhaltsverzeichnis

Wiedergabegeschwindigkeit der Audiodateien

Das Buch ist mit den Audiodateien ausgestattet. Die Adresse der Homepage des Buches, wo Audiodateien zum Anhören und Herunterladen verfügbar sind, ist am Anfang des Buches auf der bibliographischen Beschreibung vor dem Copyright-Hinweis aufgeführt. Mithilfe von QR-Codes kann man im Handumdrehen eine Audiodatei aufrufen, ohne Webadressen manuell eingeben. Öffnen Sie einfach ihre Kamera-App und halten ihr Smartphone über den gedruckten QR-Code. Ihr Smartphone erkennt was sich hinter dem Code verbirgt und bittet Sie dem eingescannten Audiodateilink zu folgen. Es ist empfehlenswert, den kostenlosen VLC-Mediaplayer zu verwenden, die Software, die zur Steuerung der Wiedergabegeschwindigkeit aller Audioformate verwendet werden kann.

This is a family

Dies ist eine Familie

Words

Vokabeln

1. activity [æk'tıvətı] - die Aktivität
2. after ['ɑ:ftə] - nach
3. bank [bæŋk] - die Bank
4. become [bı'kʌm] - werden
5. blue [blu:] - blau
6. call [kɔ:l] - anrufen, rufen
7. caring ['keərıŋ] - fürsorglich
8. clean, tidy [kli:n | 'taıdı] - reinigen, säubern, aufräumen
9. clothes [kləʊðz] - die Kleidung
10. colleague ['kɔli:g] - der Kollege
11. come [kʌm] - kommen
12. control [kən'trəʊl] - kontrollieren, überwachen
13. cook [kʊk] - kochen
14. curly ['kɜ:lı] - lockig
15. daily routine ['deılı ru:'ti:n] - die tägliche Routine
16. daughter ['dɔ:tə] - die Tochter
17. day [deı] - Tag
18. day off, weekend [deı ɔf | wi:k'end] - das Wochenende
19. do, make [du: | 'meık] - machen, tun
20. draw [drɔ:] - zeichnen
21. drawing ['drɔ:ıŋ] - die Zeichnung
22. drive (a car) [draıv ə kɑ:] - fahren (ein Auto)
23. drive, take somewhere [draıv | teık 'sʌmweə] - hinfahren, hinbringen
24. earn [ɜ:n] - verdienen

25. eight [eɪt] - acht
26. embroider [ɪm'brɔɪdə] - sticken
27. family ['fæməlɪ] - die Familie
28. father ['fɑːðə] - der Vater
29. free [friː] - frei
30. garden ['gɑːdən] - der Garten
31. garden plot ['gɑːdən plɔt] - der Schrebergarten
32. give [gɪv] - geben
33. good [gʊd] - gut
34. granddaughter ['grændɔːtə] - die Enkelin
35. grandfather ['grænfɑːðə] - der Großvater
36. grandmother ['græn ˌmʌðə] - die Großmutter
37. grandson ['grænsʌn] - der Enkel
38. grow [grəʊ] - wachsen
39. guest [gest] - der Gast
40. gym [dʒɪm] - das Fitnessstudio
41. hair [heə] - die Haare
42. help [help] - helfen
43. her [hə] - ihr, ihre
44. his [hɪz] - sein, seine
45. house ['haʊs] - das Haus
46. housewife ['haʊswaɪf] - die Hausfrau
47. instead (of) [ɪn'sted ɔv] - anstelle von, anstatt
48. kind [kaɪnd] - freundlich
49. knit [nɪt] - stricken
50. lesson ['lesən] - der Unterricht
51. light [laɪt] - das Licht
52. live [laɪv] - leben, wohnen
53. love ['lʌv] - lieben
54. make ['meɪk] - machen, tun, herstellen
55. mathematical [ˌmæθə'mætɪkəl] - mathematisch
56. middle ['mɪdəl] - die Mitte
57. money ['mʌnɪ] - das Geld
58. morning ['mɔːnɪŋ] - der Morgen
59. mother ['mʌðə] - die Mutter
60. neighboring ['neɪbərɪŋ] - nebenan
61. obedient [ə'biːdɪənt] - gehorsam
62. older, oldest ['əʊldə | 'əʊldɪst] - ältester, älteste, ältestest
63. Olympics [ə'lɪmpɪks] - die Olympiade
64. one [wʌn] - ein, eins
65. own [əʊn] - eigenes, eigener, eigene

66. place ['pleɪs] - der Platz, der Ort
67. programmer ['prəʊgræmə] - der Programmierer
68. punctual ['pʌŋktʃʊəl] - pünktlich
69. pupil, student ['pju:pəl | 'stju:dnt] - der Schüler, der Student
70. responsible [rɪ'spɔnsəbəl] - verantwortungsvoll
71. retired person, senior citizen [rɪ'taɪəd 'pɜ:sən | 'si:nɪə 'sɪtɪzən] - der Senior, der Rentner
72. school [sku:l] - die Schule
73. she [ʃɪ] - sie
74. similar, alike ['sɪmələ | ə'laɪk] - ähnlich
75. sing [sɪŋ] - singen
76. sixty ['sɪkstɪ] - sechzig
77. son [sʌn] - der Sohn
78. sport [spɔ:t] - der Sport
79. study ['stʌdɪ] - studieren, lernen
80. successful [sək'sesfəl] - erfolgreich
81. support [sə'pɔ:t] - unterstützen
82. swimming ['swɪmɪŋ] - schwimmen
83. take, pick up (for example from school) [teɪk | pɪk ʌp fər ɪg'zɑ:mpəl frəm sku:l] - abholen (z.B. von der Schule)
84. task [tɑ:sk] - die Aufgabe
85. that [ðæt] - das, dass
86. their [ðeə] - ihr, ihre
87. thirteen [ˌθɜ:'ti:n] - dreizehn
88. thirty ['θɜ:tɪ] - dreißig
89. to [tu:] - zu
90. together [tə'geðə] - zusammen
91. vegetable ['vedʒɪtəbəl] - das Gemüse
92. want [wɔnt] - wollen, möchten
93. warm [wɔ:m] - warm
94. wash clothes, do laundry [wɔʃ kləʊðz | də 'lɔ:ndrɪ] - waschen, Wäsche waschen
95. wise [waɪz] - weise
96. work ['wɜ:k] - die Arbeit
97. year ['jɪə] - Jahr
98. years ['jɪəz] - die Jahre
99. young [jʌŋ] – jung
100. younger ['jʌŋgə] – jünger

1

This is a family. This is a big family. This family has a mother, a father, two sons, a daughter, a grandmother, and a grandfather.

1

Dies ist eine Familie. Dies ist eine große Familie. In dieser Familie gibt es eine Mutter, einen Vater, zwei Söhne, eine Tochter, eine Großmutter und einen Großvater.

2

This is Mother. Her name is Anna. She is young and beautiful. Anna is thirty two years old. She is a housewife. She has to cook food, wash clothes, and clean the house. She also has to help the children do their homework and control their daily routine. Mother is kind and caring. She likes to draw and embroider in her spare time.

2

Dies ist Mutter. Ihr Name ist Anna. Sie ist jung und schön. Anna ist zweiunddreißig Jahre alt. Sie ist eine Hausfrau. Sie muss Essen kochen, Wäsche waschen und das Haus reinigen. Sie muss auch den Kindern bei ihren Hausaufgaben helfen und ihre tägliche Routine überwachen. Mutter ist freundlich und fürsorglich. In ihrer Freizeit mag sie es, zu zeichnen und zu sticken.

3

This is Father. His name is Christian. He is tall and strong. He is thirty six years old. He is a bank employee. He must earn a lot of money to support his family. He also has to drive the children to school and to kindergarten in the car every morning. Father is punctual and responsible. He loves to play sports. Christian goes to the gym after work, and plays basketball during the weekend.

3

Dies ist Vater. Sein Name ist Christian. Er ist groß und stark. Er ist sechsunddreißig Jahre alt. Er ist ein Bankangestellter. Er muss eine Menge Geld verdienen, um seine Familie zu unterstützen. Er muss auch jeden Morgen die Kinder mit dem Auto zur Schule und zum Kindergarten fahren. Vater ist pünktlich und verantwortungsbewusst. Er liebt es, Sport zu treiben. Christian geht nach der Arbeit ins Fitnessstudio und spielt Basketball am Wochenende.

4

This is the older son. His name is Michael. He looks like his father. Michael is thirteen years old. He studies in the mathematical school. He wants to become a programmer. He also does swimming. Michael goes to the gym with Father. Michael is a successful student and a good athlete. He often goes to school Olympics and wins first place.

4

Dies ist der ältere Sohn. Sein Name ist Michael. Er sieht aus wie sein Vater. Michael ist dreizehn Jahre alt. Er lernt an der mathematischen Schule. Er will Programmierer werden. Er schwimmt auch. Michael geht ins Fitnessstudio mit Vater. Michael ist ein erfolgreicher Schüler und ein guter Sportler. Er geht oft zur Schulolympiade und macht den ersten Platz.

5

This is the middle son. His name is Alex. He has light, curly hair, and blue eyes. Alex is eight years old. He also studies at school. He can draw beautifully. Alex is not a very obedient son. He loves riding his bicycle instead of doing homework.

5

Dies ist der mittlere Sohn. Sein Name ist Alex. Er hat helles, lockiges Haar und blaue Augen. Alex ist acht Jahre alt. Er lernt auch in der Schule. Er kann schön zeichnen. Alex ist kein sehr gehorsamer Sohn. Er fährt lieber sein Fahrrad anstatt Hausaufgaben zu machen.

6

This is the younger daughter. He name is Lena. She looks like Mother. Lena is still very young, she is five years old. She attends kindergarten. She is learning how to sing and dance. She is an obedient daughter. She likes to help Mother set the table when the guests arrive.

6

Dies ist die jüngere Tochter. Ihr Name ist Lena. Sie sieht aus wie Mutter. Lena ist noch sehr jung, sie ist fünf Jahre alt. Sie besucht den Kindergarten. Sie lernt, wie man singt und tanzt. Sie ist eine gehorsame Tochter. Sie hilft Mutter gern dabei, den Tisch zu decken, wenn die Gäste kommen.

7

These are grandmother and grandfather. They live in the house next door. They are senior citizens. Grandmother's name is Maria. She is kind and wise. She is sixty one years old. She likes growing vegetables in the garden plot. Grandmother also knits warm clothes for her grandkids. Grandmother has to take Alex to his drawing lessons. Grandfather's name is Jacob.

7

Dies sind Großmutter und Großvater. Sie wohnen im Haus nebenan. Sie sind Senioren. Großmutters Name ist Maria. Sie ist freundlich und weise. Sie ist einundsechzig Jahre alt. Sie baut gerne Gemüse im Schrebergarten an. Großmutter strickt auch warme Kleidung für ihre Enkelkinder. Großmutter muss Alex zu seinem Zeichenunterricht bringen.

He is big and sturdy. He is sixty five years old. He is also a senior citizen. Grandfather likes making things. Sometimes grandmother and grandfather have to pick granddaughter Lena up from the kindergarten.

Großvaters Name ist Jacob. Er ist groß und robust. Er ist fünfundsechzig Jahre alt. Er ist auch ein Senior. Großvater stellt gerne Dinge her. Manchmal müssen Großmutter und Großvater Enkelin Lena aus dem Kindergarten abholen.

Questions and answers

1

- Is this family big or small?
- This is a big family.
- Who is in this family?
- There is mother, father, two sons, daughter, grandmother, and grandfather.

2

- What is Mother's name?
- Her name is Anna.
- How old is she?
- Anna is thirty two years old.
- Does she go to work?
- No, she is a housewife.
- What does she have to do in the house?
- She must cook, wash clothes, and clean.
- Does Mother have to help children do their homework?
- Yes, she has to. She also has to control their daily routine.

Fragen und Antworten

1

- Ist diese Familie groß oder klein?
- Dies ist eine große Familie.
- Wer ist in der Familie?
- Da sind eine Mutter, ein Vater, zwei Söhne, eine Tochter, eine Großmutter und ein Großvater.

2

- Wie ist der Name der Mutter?
- Ihr Name ist Anna.
- Wie alt ist sie?
- Anna ist zweiunddreißig Jahre alt.
- Geht sie zur Arbeit?
- Nein, sie ist Hausfrau.
- Was muss sie im Haus tun?
- Sie muss kochen, Wäsche waschen und reinigen.
- Muss Mutter den Kindern bei den Hausaufgaben helfen?

- What does Mother like to do in her spare time?
- She likes to draw and embroider.

3

- What is Father's name?
- Father's name is Christian.
- Is he tall?
- Yes, Father is tall and strong.
- How old is Father?
- He is thirty six years old.
- Where does he work?
- He is a bank employee.
- Why does he have to earn a lot of money?
- To support his family.
- Where does Father have to drive the children every morning?
- He has to drive them to school and kindergarten.
- Does Father like doing sports?
- Yes, Christian goes to the gym after work, and during the weekend he plays basketball.

4

- What is the name of the oldest son?
- His name is Michael.
- Does he look like Mother or Father?
- He looks very similar to Father.

- Ja, das muss sie. Sie muss auch ihre tägliche Routine überwachen.
- Was macht Mutter gerne in ihrer Freizeit?
- Sie zeichnet und stickt gerne.

3

- Wie ist der Name des Vaters?
- Vaters Name ist Christian.
- Ist er groß?
- Ja, Vater ist groß und stark.
- Wie alt ist Vater?
- Er ist sechsunddreißig Jahre alt.
- Wo arbeitet er?
- Er ist ein Bankangestellter.
- Warum muss er eine Menge Geld verdienen?
- Um seine Familie zu unterstützen.
- Wo muss Vater die Kinder jeden Morgen hinfahren?
- Er muss sie zur Schule und zum Kindergarten fahren.
- Macht Vater gerne Sport?
- Ja, Christian geht nach der Arbeit ins Fitnessstudio und an den Wochenenden spielt er Basketball.

4

- Wie ist der Name des ältesten Sohnes?
- Sein Name ist Michael.
- Sieht er wie Mutter oder wie Vater aus?

- How old is he?
- Michael is thirteen years old.
- What school does he study in?
- He studies in a mathematical school.
- Who does Michael want to become?
- He wants to become a programmer.
- What sports does Michael do?
- He does swimming.
- Does Michael go to the gym?
- Yes, he goes there with his father.
- Is Michael a successful student?
- Yes, he often goes to school Olympics and wins first place.

5

- What is the middle son's name?
- His name is Alex.
- What color is his hair and eyes?
- He has curly, light hair, and blue eyes.
- How old is Alex?
- He is eight years old.
- What can Alex do?
- He can draw beautifully.
- Is Alex an obedient son?
- No, he is not very obedient.
- Does Alex like to do his

- Er sieht Vater sehr ähnlich.
- Wie alt ist er?
- Michael ist dreizehn Jahre alt.
- An welcher Schule lernt er?
- Er lernt an einer mathematischen Schule.
- Was will Michael werden?
- Er will Programmierer werden.
- Welchen Sport macht Michael?
- Er schwimmt.
- Geht Michael ins Fitnessstudio?
- Ja, er geht mit seinem Vater dorthin.
- Ist Michael ein erfolgreicher Schüler?
- Ja, er nimmt oft an der Schulolympiade teil und macht den ersten Platz.

5

- Wie ist der Name des mittleren Sohnes?
- Sein Name ist Alex.
- Welche Farbe haben seine Haare und Augen?
- Er hat lockiges, helles Haar und blaue Augen.
- Wie alt ist Alex?
- Er ist acht Jahre alt.
- Was kann Alex tun?
- Er kann schön zeichnen.
- Ist Alex ein gehorsamer Sohn?
- Nein, er ist nicht sehr

homework?
- No, he likes to ride the bicycle.

6

- What is the youngest daughter's name?
- Her name is Lena.
- Does Lena look like Mother or Father?
- She looks like Mother.
- How old is she?
- She is still little; she is five years old.
- She doesn't go to school yet?
- No, she goes to the kindergarten.
- Does Lena learn how to draw too?
- No, she learns how to sing and dance.
- Is she not obedient either?
- No, she is obedient.
- Does she like to help Mother?
- Yes, she likes to help Mother set the table when the guests arrive.

7

- Where do Grandfather and Grandmother live?
- They live in the house next door.
- Do they go to work?
- No, they don't go to work. They are retired.
- What are their names?

gehorsam.
- Macht Alex gerne seine Hausaufgaben?
- Nein, er mag es, Fahrrad zu fahren.

6

- Wie ist der Name der jüngsten Tochter?
- Ihr Name ist Lena.
- Sieht Lena aus wie Mutter oder wie Vater?
- Sie sieht aus wie Mutter.
- Wie alt ist sie?
- Sie ist noch klein; sie ist fünf Jahre alt.
- Sie geht noch nicht zur Schule?
- Nein, sie geht in den Kindergarten.
- Lernt Lena auch, wie man zeichnet?
- Nein, sie lernt wie man singt und tanzt.
- Ist sie auch nicht gehorsam?
- Nein, sie ist gehorsam.
- Hilft sie gerne Mutter?
- Ja, sie hilft Mutter gerne beim Tischdecken, wenn die Gäste kommen.

7

- Wo leben Großvater und Großmutter?
- Sie wohnen im Haus nebenan.
- Gehen sie zur Arbeit?
- Nein, sie gehen nicht zur

- Grandmother's name is Maria, and grandfather's name is Jacob.
- How old are they?
- Grandmother is sixty one years old, and Grandfather is sixty five years old.
- What does Grandmother like to do?
- She likes to grow vegetables on the garden plot.
- Does Grandmother know how to knit?
- Yes, she knits warm clothes for her grandchildren.
- What does Grandfather like to do?
- He likes to craft.

Arbeit. Sie sind im Ruhestand.
- Wie heißen sie?
- Großmutters Name ist Maria, und Großvaters Name ist Jacob.
- Wie alt sind sie?
- Großmutter ist einundsechzig Jahre alt, und Großvater ist fünfundsechzig Jahre alt.
- Was macht Großmutter gerne?
- Sie baut gern Gemüse im Schrebergarten an.
- Weiß Großmutter, wie man strickt?
- Ja, sie strickt warme Kleidung für ihre Enkelkinder.
- Was macht Großvater gerne?
- Er stellt gerne Dinge her.

The alarm rings

Der Wecker klingelt

Words

Vokabeln

1. after that, then ['ɑːftə ðæt | ðen] - danach, dann
2. alarm clock [ə'lɑːm 'klɔk] - der Wecker
3. backpack ['bækpæk] - der Rucksack
4. bathroom ['bɑːθruːm] - das Badezimmer
5. be late [bɪ leɪt] - spät sein
6. book [bʊk] - das Buch
7. breakfast ['brekfəst] - das Frühstück
8. bring [brɪŋ] - bringen
9. check [tʃek] - kontrollieren, überprüfen
10. coffee ['kɔfɪ] - der Kaffee
11. come [kʌm] - kommen
12. dishes ['dɪʃɪz] - das Geschirr
13. drive out [draɪv 'aʊt] - herausfahren
14. drive to (somewhere) [draɪv tə 'sʌmweə] - an einen Ort fahren
15. eat breakfast [iːt 'brekfəst] - Frühstück essen, frühstücken
16. entire [ɪn'taɪə] - ganz, ganze
17. feed [fiːd] - etwas zu Essen geben, füttern
18. first ['fɜːst] - zuerst, als erstes
19. four-thirty [fɔː 'θɜːtɪ] - vier Uhr dreißig, halb fünf
20. garage ['gærɑːʒ] - die Garage
21. gather ['gæðə] - sich versammeln
22. get dressed ['get drest] - sich anziehen

23. get up ['get ʌp] - aufstehen
24. go [gəʊ] - gehen
25. grizzle ['grɪzəl] - quengeln
26. have lunch [həv 'lʌntʃ] - zu Mittag essen
27. have supper / dinner [həv 'sʌpə | 'dɪnə] - zu Abend essen
28. home [həʊm] - zuhause
29. hour ['aʊə] - die Stunde
30. house ['haʊs] - das Haus
31. kindergarten ['kɪn dərˌgɑrdn] - der Kindergarten
32. kitchen ['kɪtʃɪn] - die Küche
33. later ['leɪtə] - später
34. lessons ['lesənz] - der Unterricht
35. living room ['lɪvɪŋ ruːm] - dasWohnzimmer
36. lunch ['lʌntʃ] - das Mittagessen
37. movie, film ['muːvɪ | fɪlm] - der Film
38. movies ['muːvɪz] - die Filme
39. omelet ['ɔmlɪt] - das Omelette
40. One-thirty [wʌn 'θɜːtɪ] - ein Uhr dreißig, halb zwei
41. porridge ['pɔrɪdʒ] - Porridge
42. prepare [prɪ'peə] - zubereiten
43. put, place ['pʊt | 'pleɪs] - stellen, setzen, legen
44. read [riːd] - lesen
45. return, come back [rɪ'tɜːn | kʌm 'bæk] - wiederkommen, zurückkehren, zurückgehen
46. ride, drive (somewhere) [raɪd | draɪv 'sʌmweə] - fahren
47. ring [rɪŋ] - klingeln
48. room [ruːm] - das Zimmer, der Raum
49. see (someone) off ['siː 'sʌmwʌn ɔf] - verabschieden
50. self [self] - selbst
51. seven ['sevən] - sieben
52. six-thirty [sɪks 'θɜːtɪ] - sechs Uhr dreißig, halb sieben
53. sleep [sliːp] - schlafen
54. son [sʌn] - der Sohn
55. supper (UK), dinner (USA) ['sʌpə | 'dɪnə] - das Abendessen
56. take [teɪk] - nehmen
57. take (somewhere) [teɪk 'sʌmweə] - jemanden an einen Ort bringen

58. tea [tiː] - der Tee
59. to [tuː] - zu, nach
60. turn off [tɜːn ɔf] - ausschalten
61. wake (someone) up [weɪk ˈsʌmwʌn ʌp] - jemanden aufwecken
62. wash [wɔʃ] - waschen
63. wash one's face [wɔʃ wʌnz feɪs] - sich das Gesicht waschen
64. while [waɪl] – während
65. younger, youngest [ˈjʌŋgə | ˈjʌŋgɪst] - jünger, jüngste

It's morning. Everyone is asleep. The alarm rings at six-thirty and wakes Mother up. Mother turns off the alarm clock and gets up. She gets dressed and wakes up father. Father also gets up and goes to the bathroom. While he washes his face, Mother cooks breakfast in the kitchen. She prepares an omelet and coffee for father. She also cooks

Es ist Morgen. Alle schlafen. Der Wecker klingelt um sechs Uhr dreißig und weckt Mutter auf. Mutter schaltet den Wecker aus und steht auf. Sie zieht sich an und weckt Vater. Vater steht auch auf und geht ins Badezimmer. Während er sein Gesicht wäscht, kocht Mutter Frühstück in der Küche. Sie bereitet ein Omelette und Kaffee für Vater zu. Sie macht

sandwiches and tea for the children. Father comes from the bathroom and sits to eat breakfast. While he is eating breakfast, the children get dressed and wash their faces. After that, the children also sit at the table. While children are eating breakfast, Father pulls the car out of the garage.

auch Sandwiches und Tee für die Kinder. Vater kommt aus dem Badezimmer und setzt sich hin, um Frühstück zu essen. Während er frühstückt, ziehen sich die Kinder an und waschen ihr Gesicht. Danach setzen sich die Kinder auch an den Tisch. Während die Kinder frühstücken, holt Vater das Auto aus der Garage.

After breakfast, children take their backpacks and get into the car with their father. Mother sees Father and children off, and then returns into the house. Then Father drives his children to school. While Father is at work, the children are at school and in the kindergarten, and Mother is doing household chores and cooks lunch.

Nach dem Frühstück nehmen die Kinder ihre Rucksäcke und steigen zu ihrem Vater ins Auto. Mutter verabschiedet Vater und die Kinder und geht dann zurück ins Haus. Dann fährt Vater die Kinder zur Schule. Während Vater bei der Arbeit ist, sind die Kinder in der Schule und im Kindergarten und Mutter macht die Hausarbeit und kocht Mittagessen.

At one-thirty she picks the middle son up from school. She brings Alex home and gives him lunch. While Alex is eating lunch, Grandmother comes over. After lunch, Grandmother takes Grandson to his drawing lessons.

Um halb zwei holt sie den mittleren Sohn von der Schule ab. Sie bringt Alex nach Hause und serviert ihm Mittagessen. Während Alex sein Mittagessen verzehrt, kommt Großmutter vorbei. Nach dem Mittagessen bringt Großmutter den Enkel zu seinem Zeichenunterricht.

At three o'clock, the oldest son, Michael, comes back from school. Mother puts lunch on the table for Son. Michael eats his lunch, and then goes to his room to do

Um drei Uhr kommt der älteste Sohn, Michael, von der Schule zurück. Mutter stellt das Mittagessen für den Sohn auf den Tisch. Michael isst sein Mittagessen und geht dann in sein

homework. At four-thirty Grandmother and grandson Alex return. Mother helps Alex do his homework. Alex whines. He doesn't want to do homework. He wants to ride his bicycle.

Zimmer, um Hausaufgaben zu machen. Um halb fünf kommen Großmutter und ihr Enkel Alex zurück. Mutter hilft Alex bei seinen Hausaufgaben. Alex quengelt. Er will keine Hausaufgaben machen. Er will Fahrrad fahren.

After work, Father picks the youngest daughter, Lena, from kindergarten. They get home at seven o'clock. When Father stays late at work, Grandmother and Grandfather pick Lena up from kindergarten. By that time, Mother cooks supper. The entire family sits at the table and eats supper. After supper, Mother washes the dishes. While mother cleans

Nach der Arbeit holt Vater die jüngste Tochter, Lena, vom Kindergarten ab. Sie kommen um sieben Uhr nach Hause. Wenn Vater lange arbeitet, holen Großmutter und Großvater Lena vom Kindergarten ab. Um diese Zeit kocht Mutter Abendessen. Die ganze Familie sitzt am Tisch und isst zu Abend. Nach dem Abendessen wäscht Mutter das Geschirr ab. Während Mutter die

up in the kitchen, Father checks his sons' homework, and Grandmother reads a book to Granddaughter. Then everyone gathers in the living room and watches a movie. At ten o'clock, the family prepares for sleep.

Küche reinigt, überprüft Vater die Hausaufgaben seiner Söhne und Großmutter liest der Enkelin aus einem Buch vor. Dann versammeln sich alle im Wohnzimmer und schauen einen Film. Um zehn Uhr bereitet sich die Familie aufs Schlafen vor.

Questions and answers

- What time does the alarm ring?
- The alarm clock rings at six thirty.
- Who does the alarm clock wake up?
- The alarm clock wakes Mother up.
- What does mother do?
- Mother turns off the alarm clock, gets up, and gets dressed.
- Does the alarm clock wake up Father as well?
- No, Mother wakes father up.
- Does Father continue sleeping, or does he get up?
- Father gets up and gets dressed also.

Fragen und Antworten

- Wann klingelt der Wecker?
- Der Wecker klingelt um sechs Uhr dreißig.
- Wen weckt der Wecker auf?
- Der Wecker weckt Mutter auf.
- Was macht Mutter?
- Mutter schaltet den Wecker aus, steht auf und zieht sich an.
- Weckt der Wecker auch Vater auf?
- Nein, Mutter weckt Vater auf.
- Schläft Vater weiter oder steht er auf?
- Vater steht auf und zieht sich auch an.

- Who wakes up the children?
- Father wakes up the children.
- What does Father do in the bathroom?
- He washes his face.
- What does Mother do in the kitchen?
- Mother cooks breakfast in the kitchen.
- Does Mother cook porridge for everyone?
- No, she prepares an omelet and coffee for Father, and sandwiches and tea for children.
- What does Father do after going to the bathroom?
- Father comes from the bathroom and sits to eat breakfast.
- What do children do while Father is eating breakfast?
- They get dressed and wash their faces.
- Do children go to play or do they sit at the table?
- Children sit at the table.
- What does Father do while children eat breakfast?
- Father drives the car out of the garage.

- Wer weckt die Kinder?
- Vater weckt die Kinder.
- Was macht Vater im Badezimmer?
- Er wäscht sein Gesicht.
- Was macht Mutter in der Küche?
- Mutter kocht Frühstück in der Küche.
- Kocht Mutter Porridge für alle?
- Nein, sie bereitet ein Omelette und Kaffee für Vater zu, und Sandwiches und Tee für die Kinder.
- Was macht Vater, nachdem er im Badezimmer war?
- Vater kommt aus dem Badezimmer und setzt sich hin, um Frühstück zu essen.
- Was tun die Kinder, während Vater Frühstück isst?
- Sie ziehen sich an und waschen ihr Gesicht.
- Gehen die Kinder spielen oder sitzen sie am Tisch?
- Die Kinder sitzen am Tisch.
- Was macht Vater, während die Kinder Frühstück essen?
- Vater fährt das Auto aus der Garage.

- Do children rest after breakfast?
- No, they take their backpacks and get into the car with Father.
- Does Mother also get into the car?
- No, she sees Father and children off, and then returns into the house.
- Who does Father drive first?
- At first Father drives Daughter to kindergarten.
- Where does Father take his sons?
- Father takes sons to school.
- Where does Father go after that?
- He drives to the bank to work.
- Does Mother cook lunch at home?
- Yes, Mother cooks lunch and does household chores.
- What time does Mother pick the middle son from school?
- She picks him up at one-thirty.
- Does Mother take Son to the movies after school?
- No, Mother brings Alex home and gives him lunch.
- Who comes over while Alex is eating lunch?

- Ruhen sich die Kinder nach dem Frühstück aus?
- Nein, sie nehmen ihre Rucksäcke und steigen in das Auto zu Vater.
- Steigt Mutter auch ins Auto?
- Nein, sie verabschiedet Vater und Kinder, und geht dann ins Haus zurück.
- Wen fährt Vater zuerst?
- Zuerst fährt Vater Tochter in den Kindergarten.
- Wo bringt Vater seine Söhne hin?
- Vater bringt die Söhne zur Schule.
- Wo geht Vater danach hin?
- Er fährt zur Bank, um zu arbeiten.
- Kocht Mutter Mittagessen zu Hause?
- Ja, Mutter kocht Mittagessen und macht Hausarbeit.
- Wann holt Mutter den mittleren Sohn von der Schule ab?
- Sie holt ihn um halb zwei ab.
- Nimmt Mutter den Sohn nach der Schule mit ins Kino?
- Nein, Mutter bringt Alex nach Hause und serviert ihm Mittagessen.
- Wer kommt vorbei, während Alex Mittag isst?
- Großmutter kommt vorbei.

- Grandmother comes over.
- Where does Grandmother take Grandson after lunch?
- Grandmother takes him to drawing lessons.
- When does the oldest son come from school?
- Michael comes from school at three o'clock.
- Does Mother give him lunch?
- Yes, Mother puts lunch on the table for Son.
- Does Michael watch TV after lunch?
- No, he goes to his room to do homework.
- What time do Grandmother and Alex return home?
- They return at four thirty.
- Does mother help Alex do his homework?
- Yes, she does help.
- Does Alex want to do homework?
- No, Alex whines. He doesn't want to do homework.
- What does Alex want?
- He wants to ride his bicycle.
- Who picks Lena up from kindergarten?
- Father picks Lena up from

- Wo bringt Großmutter den Enkel nach dem Mittagessen hin?
- Großmutter bringt ihn zum Zeichenunterricht.
- Wann kommt der älteste Sohn von der Schule?
- Michael kommt um drei Uhr aus der Schule.
- Gibt Mutter ihm Mittagessen?
- Ja, Mutter stellt das Mittagessen für den Sohn auf den Tisch.
- Sieht Michael nach dem Mittagessen fern?
- Nein, er geht in sein Zimmer, um Hausaufgaben zu machen.
- Wann kommen Großmutter und Alex zurück nach Hause?
- Sie kommen um vier Uhr dreißig zurück.
- Hilft Mutter Alex bei seinen Hausaufgaben?
- Ja, sie hilft ihm.
- Möchte Alex Hausaufgaben machen?
- Nein, Alex quengelt. Er möchte keine Hausaufgaben machen.
- Was möchte Alex machen?
- Er will Fahrrad fahren.
- Wer holt Lena aus dem Kindergarten ab?
- Vater holt Lena nach der

kindergarten after work.
- What time do they come home?
- They come home at seven o'clock.
- Who picks Lena up from kindergarten when Father stays late at work?
- Grandmother or Grandfather picks Lena up from school.
- Who cooks supper?
- Mother cooks supper.
- Does Grandmother wash the dishes after supper?
- No, Mother washes the dishes.
- What do Father and Grandmother do while Mother cleans up in the kitchen?
- Father checks sons' homework, and Grandmother reads the book to Granddaughter.
- Does everyone gather in the living room and play?
- No, everybody watches a movie in the living room.
- What time does the family prepare for bed?
- At ten o'clock.

Arbeit aus dem Kindergarten ab.
- Wann kommen sie nach Hause?
- Sie kommen um sieben Uhr nach Hause.
- Wer holt Lena aus dem Kindergarten ab, wenn Vater lange arbeitet?
- Großmutter oder Großvater holen Lena von der Schule ab.
- Wer kocht das Abendessen?
- Mutter kocht das Abendessen.
- Wäscht Großmutter das Geschirr nach dem Abendessen ab?
- Nein, Mutter wäscht das Geschirr ab.
- Was machen Vater und Großmutter, während Mutter die Küche aufräumt?
- Vater überprüft die Hausaufgaben seiner Söhne, und Großmutter liest ihrer Enkelin ein Buch vor.
- Versammeln sich alle im Wohnzimmer und spielen?
- Nein, alle schauen einen Film im Wohnzimmer.
- Wann bereitet sich die Familie aufs Bett vor?
- Um zehn Uhr.

Mother tidies the house

Mutter räumt das Haus auf

Words

Vokabeln

1. bedroom ['bedru:m] - das Schlafzimmer
2. begin [bɪ'gɪn] - anfangen
3. broom [bru:m] - der Besen
4. carry ['kærɪ] - tragen
5. change (clothes) [tʃeɪndʒ kləʊðz] - wechseln (Kleidung)
6. chop [tʃɔp] - hacken
7. clean, tidy ['kli:n | 'taɪdɪ] - reinigen, sauber, säubern
8. cleaning ['kli:nɪŋ] - reinigen, säubern, aufräumen
9. closet ['klɔzɪt] - der Schrank
10. cloth [klɔθ] - das Tuch
11. clothes [kləʊðz] - die Kleidung
12. collect [kə'lekt] - sammeln, einsammeln
13. coming ['kʌmɪŋ] - kommen
14. cook, prepare [kʊk | prɪ'peə] - kochen, zubereiten
15. cooking pot ['kʊkɪŋ pɔt] - der Kochtopf
16. cup [kʌp] - die Tasse
17. damp [dæmp] - feucht
18. detergent [dɪ'tɜ:dʒənt] - das Reinigungsmittel
19. dishwashing ['dɪʃwɑ:ʃɪŋ] - das Geschirrspülen
20. dry [draɪ] - trocknen
21. dust [dʌst] - der Staub
22. favorite ['feɪvərət] - Liebling/s
23. finish ['fɪnɪʃ] - etwas beenden
24. floor [flɔ:] - der Boden

25. fork [fɔ:k] - die Gabel
26. forty ['fɔ:tı] - vierzig
27. fry [fraı] - frittieren
28. get, take ['get | teık] - bekommen, nehmen
29. half an hour [hɑ:f ən 'aʊə] - die halbe Stunde
30. hang [hæŋ] - hängen
31. how ['haʊ] - wie
32. knife [naıf] - das Messer
33. laundry ['lɔ:ndrı] - die Wäsche
34. laundry basket ['lɔ:ndrı 'bɑ:skıt] - der Wäschekorb
35. laundry detergent ['lɔ:ndrı dı'tɜ:dʒənt] - das Waschmittel
36. leave [li:v] - verlassen, lassen
37. load [ləʊd] - laden, beladen
38. meat [mi:t] - das Fleisch
39. meat tenderizer [mi:t 'tɛndəˌraızə] - der Fleischklopfer
40. minute [maı'nju:t] - die Minute
41. pan [pæn] - die Pfanne
42. plate [pleıt] - der Teller
43. pound, chops [paʊnd | tʃɔps] - die Koteletts
44. pound, tenderize [paʊnd | 'tɛndəˌraız] - hämmern
45. pour [pɔ:] - gießen
46. put ['pʊt] - tun, setzen, stellen, legen
47. ready ['redı] - fertig
48. sofa ['səʊfə] - das Sofa
49. some, a few, a little bit of [sʌm | ə fju: | ə 'lıtəl bıt ɔv] - ein bisschen, etwas
50. soup [su:p] - die Suppe
51. spoon [spu:n] - der Löffel
52. stove [stəʊv] - der Herd
53. sweep [swi:p] - fegen
54. take out [teık 'aʊt] - rausnehmen
55. the rest [ðə rest] - der Rest
56. tidy ['taıdı] - aufräumen
57. till, until [tıl | ʌn'tıl] - bis
58. towel ['taʊəl] - das Handtuch
59. turn off [tɜ:n ɔf] - ausschalten
60. vacuum clean ['vækjʊəm kli:n] - staubsaugen
61. vacuum cleaner ['vækjʊəm 'kli:nə] - der Staubsauger
62. vegetable ['vedʒıtəbəl] - das Gemüse
63. washed [wɔʃt] – gewaschen
64. wipe [waıp] – wischen

When everyone goes to work and school, Mother begins tidying the house. At first, she goes to the kitchen. Mother quickly washes the dishes. She puts plates, spoons, forks, knives, and cups into the dishwasher. She turns the dishwasher on. Then she washes cooking pots using her hands. While other dishes are being washed inside the dishwasher, Mother cleans the stove and wipes the table.

Wenn alle zur Arbeit und zur Schule gehen, fängt Mutter an, das Haus aufzuräumen. Zunächst geht sie in die Küche. Mutter wäscht schnell das Geschirr ab. Sie stellt Teller, Löffel, Gabeln, Messer und Tassen in den Geschirrspüler. Sie stellt den Geschirrspüler an. Dann wäscht sie die Töpfe mit ihren Händen ab. Während das andere Geschirr im Geschirrspüler gewaschen wird, reinigt Mutter den Herd und wischt den Tisch ab.

After that, she sweeps the floor with a broom and mops it with a damp cloth. Then she goes to the bedroom and collects clothes for the laundry. She carries the clothes to the bathroom and loads them into the washing machine. Then she pours in the detergent and turns the machine on.

Danach fegt sie den Boden mit einem Besen und wischt ihn mit einem feuchten Tuch. Dann geht sie ins Schlafzimmer und sammelt Kleidung für die Wäsche ein. Sie trägt die Kleidung ins Badezimmer und lädt sie in die Waschmaschine. Dann füllt sie das Waschmittel ein und stellt die Maschine an.

While the clothes are being washed, Mother takes the vacuum cleaner out of the closet, turns it on, and cleans the rooms. At first she

Während die Kleidung gewaschen wird, nimmt Mutter den Staubsauger aus dem Schrank, stellt ihn an und reinigt die Zimmer. Zunächst

vacuums sofas, armchairs, and beds, and then the floor. After vacuuming, Mother carries the vacuum cleaner into the garden and cleans out the dust. When the cleaning is finished, Mother goes to the kitchen. First, she takes the clean dishes out of the dishwasher and puts them into the dish cabinet. While Mother was cleaning the house, the washing machine washed the clothes. Mother goes into the bathroom and takes clean clothes out of the washing machine. She puts them into the laundry basket and carries it into the yard to hang them to dry. After that, Mother returns to the kitchen to cook lunch. She fills the cooking pot with water and puts it on the stove. Then she takes the vegetables out of the refrigerator. She washes and cleans them, chops them, and puts into the cooking pot.

staubsaugt sie Sofas, Sessel und Betten und dann den Boden. Nach dem Staubsaugen trägt Mutter den Staubsauger in den Garten und schüttet den Staub aus. Wenn das Reinigen beendet ist, geht Mutter in die Küche. Zunächst nimmt sie das Geschirr aus dem Geschirrspüler und stellt es in den Geschirrschrank. Während Mutter das Haus gereinigt hat, hat die Waschmaschine die Kleidung gewaschen. Mutter geht ins Badezimmer und nimmt die saubere Kleidung aus der Waschmaschine. Sie legt sie in den Wäschekorb und trägt diesen in den Hof, um die Wäsche zum Trocknen aufzuhängen. Danach kehrt Mutter in die Küche zurück und kocht Mittagessen. Sie füllt den Kochtopf mit Wasser und stellt ihn auf den Herd. Dann nimmt sie Gemüse aus dem Kühlschrank. Sie wäscht und reinigt es, hackt es und legt es in den Kochtopf.

She cooks a vegetable soup. While the soup is being cooked, Mother chops the meat. She pounds it with a meat tenderizer and fries the chops on the pan.
When lunch is ready, Mother changes her clothes and goes to school, to pick up Alex. In forty minutes, Mother brings her son home and gives him lunch. Then she sends him with Grandmother to the drawing lessons. There is a little bit of time left before the oldest son comes, and Mother does her favorite activity. She embroiders.

Sie kocht eine Gemüsesuppe. Während die Suppe kocht, hackt Mutter das Fleisch. Sie hämmert es mit einem Fleischklopfer und frittiert die Koteletts in der Pfanne.
Wenn das Mittagessen fertig ist, wechselt Mutter ihre Kleidung und geht zur Schule, um Alex abzuholen. In vierzig Minuten bringt Mutter ihren Sohn nach Hause und gibt ihm Mittagessen. Dann schickt sie ihn mit Großmutter zum Zeichenunterricht. Es ist ein bisschen Zeit übrig, bevor der älteste Sohn kommt und Mutter geht ihrer Lieblingsaktivität nach. Sie stickt.

In half an hour, Michael comes from school and mother eats lunch with him. After lunch, she washes plates, spoons, and forks. Then she wipes clean dishes with a towel.
In einer halben Stunde kommt Michael von der Schule und Mutter isst mit ihm zu Mittag. Nach dem Mittagessen wäscht sie Teller, Löffel und Gabeln ab. Dann wischt sie das Geschirr mit einem Handtuch sauber.

After that, she checks the oldest son's homework. When Grandmother brings middle son, Alex, home, Mother helps him to do homework. Then Alex goes outside to ride the bicycle, and Mother cooks supper.
Danach überprüft sie die Hausaufgaben des ältesten Sohns. Wenn Großmutter den mittleren Sohn, Alex, nach Hause bringt, hilft Mutter ihm bei den Hausaufgaben. Dann geht Alex nach draußen, um Fahrrad zu fahren und Mutter kocht das Abendessen.

Questions and answers

- What does Mother do when everyone goes to work and school?
- Mother begins cleaning the house.
- Does she go to the living room first?
- No, she goes to the kitchen.
- Does Mother wash dishes in the kitchen?
- Yes, Mother washes the dishes there.
- Does Mother wash all the dishes by hand?
- No, not all. She washes cooking pots by hand. She puts spoons, forks, knives, and cups into the dishwasher.
- What does Mother do while the dishes are being washed in the dishwasher?
- Mother cleans the stove and wipes the table.
- Does Mother clean the floor too?
- She swipes it with a broom and washes it with a damp

Fragen und Antworten

- Was macht Mutter, wenn alle zur Arbeit und zur Schule gehen?
- Mutter fängt an, das Haus zu reinigen.
- Geht sie zunächst ins Wohnzimmer?
- Nein, sie geht in die Küche.
- Wäscht Mutter das Geschirr in der Küche ab?
- Ja, Mutter wäscht dort das Geschirr ab.
- Wäscht Mutter das ganze Geschirr mit der Hand?
- Nein, nicht alles. Sie wäscht die Töpfe mit der Hand. Sie stellt Löffel, Gabeln, Messer und Tassen in den Geschirrspüler.
- Was macht Mutter, während das Geschirr im Geschirrspüler gewaschen wird?
- Mutter reinigt den Herd und wischt den Tisch.
- Reinigt Mutter auch den Boden?
- Sie fegt ihn mit einem Besen

cloth.
- Where does Mother collect clothes for the laundry?
- In the bedroom.
- Does Mother wash clothes using her hands?
- No, she carries clothes to the bathroom and loads them into the washing machine.
- Does Mother turn the washing machine on right away?
- No, at first she puts the detergent there, and then turns it on.
- What does Mother do while clothes are being washed?
- Mother cleans the house.
- What does Mother take the vacuum cleaner out of?
- Out of the closet.
- What does she do with it?
- Mother turns it on and cleans inside the rooms.
- Does she vacuum only the floor?
- No, at first she vacuums sofas, armchairs, and beds, and then the floor.
- What does Mother do with the vacuum cleaner after

und reinigt ihn mit einem feuchten Tuch.
- Wo sammelt Mutter die Kleidung für die Wäsche ein?
- Im Schlafzimmer.
- Wäscht Mutter die Kleidung mit der Hand?
- Nein, sie trägt die Kleidung ins Badezimmer und lädt sie in die Waschmaschine.
- Stellt Mutter die Waschmaschine sofort an?
- Nein, zunächst füllt sie das Waschmittel ein, und dann stellt sie die Waschmaschine an.
- Was macht Mutter, während die Kleidung gewaschen wird?
- Mutter reinigt das Haus.
- Wo nimmt Mutter den Staubsauger heraus?
- Aus dem Schrank.
- Was macht sie damit?
- Mutter stellt ihn an und reinigt in den Zimmern.
- Staubsaugt sie nur den Boden?
- Nein, zunächst staubsaugt sie Sofas, Sessel und Betten und dann den Boden.
- Was macht Mutter mit dem

cleaning?
- After cleaning Mother carries it into the yard and cleans the dust out.
- Where does Mother put the clean dishes?
- She puts them into the kitchen cabinet.
- What does Mother do with clean clothes?
- Mother takes them out of the washing machine, puts them into the basket, and carries it out into the yard to hang them to dry.
- Where does Mother go after that?
- She returns to the kitchen to cook lunch.
- What does Mother pour the water into?
- She pours the water into the cooking pot and puts it on the stove.
- Where does Mother take the vegetables from?
- She takes them out of the refrigerator.
- What does Mother do with the vegetables?
- She washes and cleans them,

Staubsauger nach dem Reinigen?
- Nach dem Reinigen trägt Mutter ihn in den Hof und schüttet den Staub aus.
- Wo stellt Mutter das saubere Geschirr hin?
- Sie stellt es in den Küchenschrank.
- Was macht Mutter mit der sauberen Kleidung?
- Mutter nimmt sie aus der Waschmaschine, legt sie in den Korb und trägt diesen in den Hof, um die Wäsche zum Trocknen aufzuhängen.
- Wo geht Mutter danach hin?
- Sie geht in die Küche zurück, um Mittagessen zu kochen.
- Wo gießt Mutter das Wasser rein?
- Sie gießt das Wasser in den Kochtopf und stellt ihn auf den Herd.
- Wo nimmt Mutter das Gemüse her?
- Sie nimmt es aus dem Kühlschrank.
- Was macht Mutter mit dem Gemüse?

chops them, and puts them into the cooking pot.
- Does Mother cook meat broth?
- No, she cooks vegetable soup.
- What does Mother do with the meat?
- She chops it, pounds it with a meat tenderizer, and fries the chops.
- Does Mother fry the chops in the cooking pot?
- No, on the frying pan.
- Where does Mother go after cooking lunch?
- She changes her clothes and goes to school to pick up Alex.
- In how many minutes does she bring her son home?
- In forty minutes.
- Does mother let Alex ride the bicycle?
- No, she gives lunch to Son. Then she sends him with grandmother to his drawing lessons.
- What does Mother do before the oldest son's return?

- Sie wäscht und putzt es, hackt es und legt es in den Kochtopf.
- Kocht Mutter eine Fleischbrühe?
- Nein, sie kocht eine Gemüsesuppe.
- Was macht Mutter mit dem Fleisch?
- Sie hackt es, hämmert es mit einem Fleischklopfer und frittiert die Koteletts.
- Frittiert Mutter die Koteletts im Kochtopf?
- Nein, in der Pfanne.
- Wo geht Mutter hin, nachdem sie Mittagessen gekocht hat?
- Sie wechselt ihre Kleidung und geht zur Schule, um Alex abzuholen.
- In wie vielen Minuten bringt sie ihren Sohn nach Hause?
- In vierzig Minuten.
- Lässt Mutter Alex Fahrrad fahren?
- Nein, sie gibt ihrem Sohn Mittagessen. Dann schickt sie ihn mit Großmutter zu seinem Zeichenunterricht.
- Was macht Mutter vor der Rückkehr des ältesten Sohns?
- Mutter geht ihrer

- Mother does her favorite activity. She embroiders.
- Who comes in half an hour?
- In half and hour Michael comes from school.
- Does he go to do homework right away?
- No, he eats lunch with Mother.
- Does Mother wash the dishes after lunch?
- Yes, she washes plates, spoons, and forks.
- Does Mother wipe clean dishes?
- Yes, she wipes them with a towel.
- Where does Mother put clean dishes?
- Mother puts clean dishes into the cabinet.
- What does Mother check?
- She checks how the oldest son did his homework.
- Does Mother help Alex do his homework as well?
- Yes, Mother helps him do his homework.
- Does Alex go outside to play soccer?
- No, he goes to ride his bicycle.

Lieblingsaktivität nach. Sie stickt.
- Wer kommt in einer halben Stunde?
- In einer halben Stunde kommt Michael von der Schule.
- Macht er sofort seine Hausaufgaben?
- Nein, er isst mit Mutter zu Mittag.
- Wäscht Mutter das Geschirr nach dem Mittagessen ab?
- Ja, sie wäscht Teller, Löffel und Gabeln ab.
- Trocknet Mutter das saubere Geschirr ab?
- Ja, sie trocknet es mit einem Handtuch ab.
- Wo stellt Mutter das saubere Geschirr hin?
- Mutter stellt das saubere Geschirr in den Schrank.
- Was überprüft Mutter?
- Sie überprüft, wie der älteste Sohn seine Hausaufgaben gemacht hat.
- Hilft Mutter auch Alex bei seinen Hausaufgaben?
- Ja, Mutter hilft ihm, seine Hausaufgaben zu machen.
- Geht Alex nach draußen, um Fußball zu spielen?
- Nein, er fährt Fahrrad.

Father goes to work

Vater geht zur Arbeit

Words

Vokabeln

1. about [ə'baʊt] - über
2. acquisition [ˌækwɪ'zɪʃən] - der Erwerb
3. advice [əd'vaɪs] - empfehlen
4. agree [ə'gri:] - einverstanden sein
5. announce [ə'naʊns] - ankündigen
6. apartment [ə'pɑ:tmənt] - die Wohnung
7. appointment [ə'pɔɪntmənt] - der Termin
8. arrive [ə'raɪv] - ankommen
9. ask [ɑ:sk] - fragen
10. at home [ət həʊm] - zuhause
11. attentively [ə'tentɪvlɪ] - aufmerksam
12. auto service ['ɔ:təʊ 'sɜ:vɪs] - die Werkstatt
13. be over [bɪ 'əʊvə] - vorbei sein
14. both [bəʊθ] - beide/beides
15. businessman ['bɪznəsmæn] - der Geschäftsmann
16. by foot [baɪ fʊt] - zu Fuß
17. car [kɑ:] - das Auto
18. client ['klaɪənt] - der Kunde
19. close [kləʊz] - schließen
20. colleague ['kɔli:g] - der Kollege
21. consult [kən'sʌlt] - beraten
22. copy, sample ['kɔpɪ | 'sɑ:mpəl] - die Kopie
23. customer, client ['kʌstəmə | 'klaɪənt] - der Kunde

24. daily planner ['deɪlɪ 'plænə] - der Tagesplaner
25. decide [dɪ'saɪd] - entscheiden
26. desired [dɪ'zaɪəd] - gewünscht
27. direct mortgage loan [dɪ'rekt 'mɔːgɪdʒ ləʊn] - direktes Hypothekendarlehen
28. document (in this context) ['dɔkjʊment] - das Dokument
29. drop by [drɔp baɪ] - vorbeikommen/vorbeifahren
30. enter ['entə] - betreten/hereinkommen
31. explain [ɪk'spleɪn] - erklären
32. fifteen [ˌfɪf'tiːn] - fünfzehn
33. get tired ['get 'taɪəd] - müde werden
34. give (away) [gɪv ə'weɪ] - (weg) geben
35. half [hɑːf] - halb
36. immovable property [ɪ'muːvəbəl 'prɔpətɪ] - das unbewegliche Vermögen
37. inner ['ɪnə] - innerer/innere/inneres
38. invite [ɪn'vaɪt] - hereinbitten (in einen Raum)
39. issue ['ɪʃuː] - ausstellen
40. leave [liːv] - verlassen, gehen
41. left, remaining [left | rɪ'meɪnɪŋ] - übrig
42. less [les] - weniger
43. line [laɪn] - die Schlange
44. located [ləʊ'keɪtɪd] - befindet sich
45. low [ləʊ] - niedrig
46. lunch ['lʌntʃ] - Mittagessen-
47. make happy ['meɪk 'hæpɪ] - glücklich machen
48. map [mæp] - die Karte
49. more [mɔː] - mehr
50. mortgage ['mɔːgɪdʒ] - die Hypothek
51. nearby, close by ['nɪəbaɪ | kləʊz baɪ] - in der Nähe von, nah
52. needed, necessary ['niːdɪd | 'nesəsərɪ] - nötig, notwendig
53. next [nekst] - nächste/nächster/nächstes
54. nine [naɪn] - neun
55. offer, suggest ['ɔfə | sə'dʒest] - anbieten, vorschlagen

56. office ['ɔfɪs] - das Büro
57. on time [ɔn 'taɪm] - pünktlich
58. option ['ɔpʃən] - die Option
59. organize ['ɔːgənaɪz] - organisieren
60. other, another ['ʌðə | ə'nʌðə] - anderer/andere/andere s
61. past (something) [pɑːst 'sʌmθɪŋ] - an etwas vorbei (kommen)
62. print out [prɪnt 'aʊt] - ausdrucken
63. reading ['riːdɪŋ] - lesen
64. repay [rɪ'peɪ] - zurückzahlen
65. salary ['sæləri] - das Gehalt
66. satisfied ['sætɪsfaɪd] - zufrieden
67. say ['seɪ] - sagen
68. secretary ['sekrətəri] - die Sekretärin/der Sekretär
69. self [self] - selbst
70. sidewalk ['saɪdwɔːk] - der Bürgersteig
71. sign [saɪn] - unterschreiben
72. signature ['sɪgnətʃə] - die Unterschrift
73. stop [stɔp] - stoppen, anhalten, die Haltestelle
74. submit [səb'mɪt] - einreichen
75. supermarket ['suːpəmɑːkɪt] - der Supermarkt
76. take [teɪk] - nehmen
77. ten [ten] - zehn
78. terms and conditions [tɜːmz ənd kən'dɪʃənz] - die Bedingungen
79. thank [θæŋk] - danken
80. then [ðen] - dann
81. think ['θɪŋk] - denken
82. this is why [ðɪs ɪz waɪ] - deswegen
83. trip [trɪp] - der Ausflug
84. twenty ['twentɪ] - zwanzig
85. twice [twaɪs] - zwei Mal
86. usually ['juːʒəlɪ] - normalerweise
87. walk [wɔːk] - gehen
88. what ['wɔt] - was
89. which [wɪtʃ] - welches/welche/welche r
90. wife [waɪf] - die Ehefrau
91. without [wɪð'aʊt] - ohne
92. woman ['wʊmən] - die Frau (generell)
93. working ['wɜːkɪŋ] – arbeiten
94. write down ['raɪt daʊn] – aufschreiben

Christian gets out of the house and goes to the bus stop. He usually goes to work by car, but today his car is at the auto service. The bus stop is located close to home. Christian comes to the bus stop and takes a spot in line. He waits for five minutes. The bus number three arrives and Christian gets inside. The ride takes twenty minutes. Christian gets out of the bus. He has to walk some more. Christian walks from the bus stop to his bank for ten more minutes.

Christian verlässt das Haus und geht zur Bushaltestelle. Normalerweise fährt er mit dem Auto zur Arbeit, aber heute ist das Auto in der Werkstatt. Die Bushaltestelle befindet sich in der Nähe des Hauses. Christian kommt zur Bushaltestelle und stellt sich in der Schlange an. Er wartet fünf Minuten. Der Bus Nummer drei kommt an und Christian steigt ein. Die Fahrt dauert zwanzig Minuten. Christian steigt aus dem Bus aus. Er muss noch etwas gehen. Christian geht von der Haltestelle zu seiner Bank in zehn Minuten.

He walks into the bank's office. There are many offices in the bank. Christian walks into his office. It's five to nine now. Christian prepares for work. At nine o'clock the first customer walks in.
It's a businessman who wants to get a line of credit. Christian explains credit terms and conditions to him. The businessman is happy with this credit's terms. Christian prepares the credit agreement for him. He prints out two copies of the agreement and gives it to the businessman to sign. Before signing the agreement, the businessman reads it attentively. This takes fifteen minutes.
After reading the agreement,

Er geht in das Büro der Bank. Es gibt viele Büros in der Bank. Christian geht in sein Büro. Es ist jetzt fünf vor neun. Christian bereitet sich auf die Arbeit vor. Um neun Uhr kommt der erste Kunde herein. Es ist ein Geschäftsmann der eine Kreditlinie haben möchte. Christian erklärt ihm die Kreditbedingungen. Der Geschäftsmann ist zufrieden mit den Kreditbedingungen. Christian bereitet den Kreditvertrag für ihn vor. Er druckt zwei Kopien des Vertrags aus und gibt sie dem Geschäftsmann zum unterschreiben. Bevor er den Vertrag unterschreibt liest der Geschäftsmann ihn aufmerksam durch. Das dauert fünfzehn Minuten.

the businessman signs both copies. Christian leaves one copy of the agreement for himself and gives the second one to the client. Then he gives the credit card to him. The client thanks him and leaves. Christian walks him to the door and then invites the next customer in.

Nach dem Lesen des Vertrags unterschreibt der Geschäftsmann beide Kopien. Christian behält eine Kopie des Vertrags für sich selbst und gibt die zweite dem Kunden. Dann gibt er ihm die Kreditkarte. Der Kunde bedankt sich und geht. Christian begleitet ihn zur Tür und bittet dann den nächsten Kunden herein.

A young woman walks into the office. She wants to get a car loan. Christian explains the terms of the desired loan to her. The woman cannot get the desired loan because her salary is low.
Christian offers her to get a loan amount that is half the

Eine junge Frau kommt in das Büro. Sie möchte ein Darlehen für ein Auto haben. Christian erklärt ihr die Bedingungen des gewünschten Darlehens. Die Frau kann das gewünschte Darlehen nicht bekommen, weil ihr Gehalt niedrig ist. Christian bietet ihr einen Darlehensbetrag an, der halb so groß ist wie die

original size.
However, she doesn't agree and asks Christian to advise her on different options. Then Christian offers her a different option - a direct mortgage loan. The woman thinks it over and decides to take the first option. The client signs the loan agreement. Christian issues her the credit card.

ursprüngliche Größe.
Allerdings ist sie nicht einverstanden und bittet Christian ihr andere Optionen zu empfehlen. Dann bietet Christian ihr eine andere Option an - ein direktes Hypothekendarlehen. Die Frau überdenkt es und entscheidet sich die erste Option zu nehmen. Die Kundin unterschreibt den Darlehensvertrag. Christian stellt ihr eine Kreditkarte aus.

Lunch time in the bank is from one to two o'clock. Christian closes his office and goes to the café with his colleagues. The café is located across the street from the bank. Lunch in the

In der Bank ist die Mittagspause von ein bis zwei Uhr. Christian schließt sein Büro und geht mit seinen Kollegen zum Café. Das Café befindet sich gegenüber der Straße von der Bank. Mittagessen im Café dauert eine

café lasts for half an hour. Colleagues spend the rest of their lunch time walking in the garden situated between the café and a supermarket. Then Christian and his colleagues come back to the bank and take their working spots.

halbe Stunde. Die Kollegen verbringen den Rest ihrer Mittagspause damit in dem Garten, der sich zwischen dem Café und einem Supermarkt befindet, spazieren zu gehen. Dann gehen Christian und seine Kollegen zurück in die Bank und setzen sich an ihre Arbeitsplätze.

A telephone rings in Christian's office. He answers and consults a client over the phone. The client asks about the conditions of getting a housing credit. Christian explains the terms and conditions to the client. He also says what kind of documents need to be submitted. The client asks to make him an appointment in three days. Christian writes down the appointment time in his daily planner. Then a secretary calls him on the interphone and announces the next customer. Christian is very tired by the end of the work day. However, he is very satisfied with his job because he has many clients

Ein Telefon klingelt in Christians Büro. Er antwortet und berät einen Kunden über das Telefon. Der Kunde fragt nach den Bedingungen um einen Hauskredit zu bekommen. Christian erklärt dem Kunden die Bedingungen. Er sagt auch welche Dokumente eingereicht werden müssen. Der Kunde bittet ihn einen Termin in drei Tagen zu machen. Christian schreibt den Termin in seinen Tagesplaner. Dann ruft ihn eine Sekretärin über die Gegensprechanlage an und kündigt den nächsten Kunden an. Am Ende des Arbeitstages ist Christian sehr müde. Allerdings ist er sehr zufrieden mit seiner Arbeit, weil er viele Kunden hat,

who get credits. It pleases him even more that his clients repay their credits on time. At six o'clock, the work day is over. Before leaving his workplace, Christian calls home and tells his wife that he will drop by and pick up Daughter from kindergarten.

die Kredite bekommen. Es freut ihn noch mehr, dass seine Kunden ihre Kredite pünktlich zurückzahlen. Um sechs Uhr ist der Arbeitstag zu Ende. Bevor er seinen Arbeitsplatz verlässt ruft Christian zuhause an und erzählt seiner Frau, dass er beim Kindergarten vorbeifahren wird und die Tochter abholt.

Christian must pick the car up from auto service today. Auto service is located close to the bank, behind the garden. This is why Christian walks there by foot. The walk takes ten minutes. He passes by the bus station and walks on the sidewalk along the garden. From the auto service, Christian goes in the

Christian muss heute das Auto von der Werkstatt abholen. Die Werkstatt befindet sich in der Nähe der Bank, hinter dem Garten. Deswegen geht Christian dort zu Fuß hin. Der Weg dauert zehn Minuten. Er kommt an der Bushaltestelle vorbei und geht auf dem Bürgersteig entlang des Gartens. Von der Werkstatt aus fährt Christian im Auto und fährt

car and drops by the kindergarten to pick up Daughter. Then they return home for dinner together.

am Kindergarten vorbei um die Tochter abzuholen. Dann fahren sie zurück nach Hause für ein gemeinsames Abendessen.

Questions and answers

- Where is Christian going?
- He gets out of the house and walks to the bus stop.
- Why does he walk to the bus stop?
- Because his car is in auto service today.
- Is the bus stop close by or far from the house?
- It is close by.
- How many minutes does Christian wait for the bus?
- He waits for five minutes.
- Which bus number approaches?
- Bus number three approaches and Christian gets in.
- How long does the ride take?
- The ride takes twenty minutes.
- Does Christian come into the bank right away?
- No, he walks from the bus stop to his bank for ten more

Fragen und Antworten

- Wo geht Christian hin?
- Er verlässt das Haus und geht zur Bushaltestelle.
- Warum geht er zur Bushaltestelle?
- Weil sein Auto heute in der Werkstatt ist.
- Ist die Bushaltestelle in der Nähe vom Haus oder weit entfernt?
- Sie ist in der Nähe.
- Wie viele Minuten wartet Christian auf den Bus?
- Er wartet fünf Minuten.
- Welche Busnummer nähert sich?
- Bus Nummer drei nähert sich und Christian steigt ein.
- Wie lange dauert die Fahrt?
- Die Fahrt dauert zwanzig Minuten.
- Geht Christian sofort in die Bank?
- Nein, er geht von der Bushaltestelle zu seiner Bank für zehn Minuten.

minutes.
- Are there many offices in the bank office?
- Yes, there are many.
- Where does Christian walk?
- He walks into his office.
- What time is it now?
- It is five to nine.
- What does Christian do?
- Christian prepares for work.
- What time does the first customer walk in?
- At nine o'clock.
- Who is he?
- He is a businessman.
- What does this businessman want?
- He wants to get a line of credit.
- What does Christian explain to the businessman?
- He explains credit terms and conditions to the businessman.
- Is he happy with these terms?
- Yes, the businessman is happy with the terms.
- What does Christian prepare for the businessman?
- He prepares the credit agreement.
- How many copies of the

- Gibt es viele Büros in der Bank?
- Ja, es gibt viele.
- Wo geht Christian hin?
- Er geht in sein Büro.
- Wie spät ist es jetzt?
- Es ist fünf vor neun.
- Was macht Christian?
- Christian bereitet sich auf die Arbeit vor.
- Um wie viel Uhr kommt der erste Kunde herein?
- Um neun Uhr.
- Wer ist er?
- Er ist ein Geschäftsmann.
- Was möchte der Geschäftsmann?
- Er möchte eine Kreditlinie.
- Was erklärt Christian dem Geschäftsmann?
- Er erklärt dem Geschäftsmann die Kreditbedingungen.
- Ist er zufrieden mit den Bedingungen?
- Ja, der Geschäftsmann ist zufrieden mit den Bedingungen.
- Was bereitet Christian für den Geschäftsmann vor?
- Er bereitet den Kreditvertrag vor.
- Wie viele Kopien des Kreditvertrags druckt Christian aus?
- Er druckt zwei Kopien des Kreditvertrags aus.

credit agreement does Christian print out?
- He prints out two copies of the credit agreement.
- Does the businessman sign the agreement right away?
- No, not right away.
- Does he read the agreement before signing it?
- Yes he reads it attentively.
- How much time does reading the agreement take?
- It takes fifteen minutes.
- What does the businessman do after reading the agreement?
- He signs both copies.
- Does Christian take both copies of the agreement?
- No, Christian leaves one copy for himself and gives the other one to the client.
- Does Christian issue a credit card to the client?
- Yes, he does.
- Who does Christian invite after the businessman leaves?
- Christian invites the next client.
- Who comes into the office?
- A young woman walks into the office.
- What kind of loan does she want to get?

- Unterschreibt der Geschäftsmann sofort den Kreditvertrag?
- Nein, nicht sofort.
- Liest er den Vertrag bevor er ihn unterschreibt?
- Ja, er liest ihn aufmerksam.
- Wie lange dauert das Lesen des Vertrags?
- Es dauert fünfzehn Minuten.
- Was macht der Geschäftsmann nachdem er den Vertrag gelesen hat?
- Er unterschreibt beide Kopien.
- Nimmt Christian beide Kopien des Vertrags?
- Nein, Christian behält eine Kopie für sich selbst und gibt die andere dem Kunden.
- Stellt Christian dem Kunden eine Kreditkarte aus?
- Ja, das macht er.
- Wen bittet Christian herein nachdem der Geschäftsmann gegangen ist?
- Christian bittet den nächsten Kunden herein.
- Wer kommt ins Büro?
- Eine junge Frau kommt ins Büro.
- Welche Art von Darlehen möchte sie haben?
- Sie möchte ein Autodarlehen haben.
- Warum kann die Frau nicht das

- She wants to get a car loan.
- Why cannot the woman get the desired loan?
- Because her salary is low.
- What does Christian offer her?
- He offers her to get a loan half the original size.
- Does she agree?
- No, she doesn't agree and asks Christian to advice another option of getting a loan.
- What other option does Christian offer to her?
- He offers the woman to get a direct mortgage loan.
- Does the woman agree to get the second option?
- No, she thinks and decides to go with the first option.
- What does the client do?
- She signs the loan agreement.
- What does Christian do?
- He issues her a credit card.
- What time is there a lunch break in the bank?
- The lunch in the bank is from one to two o'clock.
- Does Christian shut himself in the office and eat by himself?
- No, Christian locks his office and goes to a café with

gewünschte Darlehen bekommen?
- Weil ihr Gehalt niedrig ist.
- Was bietet Christian ihr an?
- Er bietet ein Darlehen an, das halb so groß ist wie die originale Höhe.
- Ist sie einverstanden?
- Nein, sie ist nicht einverstanden und bittet Christian eine andere Option für ein Darlehen zu empfehlen.
- Welche andere Option bietet Christian ihr an?
- Er bietet der Frau an ein direktes Hypothekendarlehen zu nehmen.
- Ist die Frau mit der zweiten Option einverstanden?
- Nein, sie denkt nach und entscheidet sich für die erste Option.
- Was macht die Kundin?
- Sie unterschreibt den Darlehensvertrag.
- Was macht Christian?
- Er stellt eine Kreditkarte aus.
- Um wie viel Uhr gibt es eine Mittagspause in der Bank?
- Die Mittagspause in der Bank ist von ein bis zwei Uhr.
- Schließt Christian sich im Büro ein und isst alleine?
- Nein, Christian schließt sein Büro und geht mit seinen

his colleagues.
- Where is the café located?
- The café is located across the road from the bank.
- Is there a line in the café?
- Yes, there is a short line.
- How long does the lunch last?
- Lunch in the café lasts for half an hour.
- Is there any time left after lunch in the café?
- Yes, there is.
- Where do the colleagues spend the rest of the lunch time?
- Colleagues go for a walk in the garden for the rest of their lunch time.
- Where is the garden located?
- It is located between the café and a supermarket.
- Where does Christian go after the walk?
- Christian and his colleagues return to the bank and take their workplaces.
- What rings in Christian's office?
- A phone rings in Christian's office.
- How does Christian consult his next client?
- He consults the client over

Kollegen zum Café.
- Wo befindet sich das Café?
- Das Café befindet sich gegenüber der Straße von der Bank.
- Gibt es eine Schlange im Café?
- Ja, es gibt eine kurze Schlange.
- Wie lange dauert das Mittagessen?
- Mittagessen im Café dauert eine halbe Stunde.
- Ist noch Zeit übrig nach dem Mittagessen im Café?
- Ja, es ist Zeit übrig.
- Wo verbringen die Kollegen den Rest der Mittagspause?
- Die Kollegen gehen im Garten spazieren für den Rest der Mittagspause.
- Wo befindet sich der Garten?
- Er befindet sich zwischen dem Café und einem Supermarkt.
- Wo geht Christian nach dem Spaziergang hin?
- Christian und seine Kollegen kehren zur Bank zurück und setzen sich an ihre Arbeitsplätze.
- Was klingelt in Christians Büro?
- Ein Telefon klingelt in Christians Büro.
- Wie berät Christian seinen nächsten Kunden?
- Er berät den Kunden über das

the phone.
- What does the client ask about?
- The client asks about terms and conditions of getting a housing credit.
- What does Christian explain to the client?
- He explains all the terms. He also says what kind of documents need to be presented.
- What does the client ask for?
- The client asks to set him an appointment in three days.
- Where does Christian write down the appointment time?
- He writes it down in his daily planner.
- Who calls Christian on the interphone?
- A secretary calls him and announces the next customer.
- Does Christian get tired at work?
- Yes, Christian is very tired by the end of his work day.
- Is he angry with his job?
- No, he is satisfied with his job.
- Why is Christian satisfied with his job?

Telefon.
- Wonach fragt der Kunde?
- Der Kunde fragt nach den Bedingungen für einen Hauskredit.
- Was erklärt Christian dem Kunden?
- Er erklärt die Bedingungen. Er sagt auch welche Dokumente vorgelegt werden müssen.
- Worum bittet der Kunde?
- Der Kunde bittet um einen Termin in drei Tagen.
- Wo schreibt Christian den Termin auf?
- Er schreibt ihn in seinen Tagesplaner auf.
- Wer ruft Christian über die Gegensprechanlage an?
- Eine Sekretärin ruft ihn an und kündigt den nächsten Kunden an.
- Wird Christian bei der Arbeit müde?
- Ja, Christian ist am Ende des Arbeitstages sehr müde.
- Ist der wütend auf seine Arbeit?
- Nein, er ist zufrieden mit seiner Arbeit.
- Warum ist Christian zufrieden mit seiner Arbeit?
- Weil er viele Kunden hat, die Darlehen nehmen.
- Zahlen Christians Kunden ihre

- Because he has many clients who take loans.
- Do Christian's clients repay their loans on time?
- Yes, his clients repay their loans on time.
- What time is the work day over?
- The work day is over at six o'clock.
- What does Christian do before leaving his workplace?
- He calls home.
- What does he say to his wife?
- Christian says that he will drop by the kindergarten and pick up their daughter.
- What does Christian have to do today?
- He has to pick the car up from auto service.
- Where is auto service located?
- It is located near the bank, behind the garden.
- Does Christian walk there or take the bus?
- He walks.
- How long does it take?
- The walk takes ten minutes.
- Where does he walk?
- He walks by the bus stop and on the sidewalk along

Darlehen pünktlich zurück?
- Ja, die Kunden zahlen ihre Darlehen pünktlich zurück.
- Um wie viel Uhr ist der Arbeitstag vorbei?
- Der Arbeitstag ist um sechs Uhr vorbei.
- Was macht Christian bevor er seinen Arbeitsplatz verlässt?
- Er ruft zuhause an.
- Was sagt er zu seiner Frau?
- Christian sagt, dass er beim Kindergarten vorbei fährt und ihre Tochter abholt.
- Was muss Christian heute tun?
- Er muss sein Auto aus der Werkstatt abholen.
- Wo befindet sich die Werkstatt?
- Sie befindet sich in der Nähe der Bank, hinter dem Garten.
- Geht Christian dort zu Fuß hin oder nimmt er den Bus?
- Er geht zu Fuß.
- Wie lang dauert es?
- Es dauert zehn Minuten.
- Wo geht er?
- Er geht an der Bushaltestelle vorbei und auf dem Bürgersteig entlang des Gartens.
- Wo fährt Christian von der

the garden.
- Where does Christian go in his car from the auto service?
- He drops by the kindergarten to pick up his daughter Lena.
- Do Christian and Daughter go to visit someone?
- No, they come back home for dinner.

Werkstatt aus in seinem Auto hin?
- Er fährt am Kindergarten vorbei um seine Tochter Lena abzuholen.
- Besuchen Christian und die Tochter jemanden?
- Nein, sie fahren nach Hause zum Abendessen.

Events in the city

Veranstaltungen in der Stadt

Words

Vokabeln

1. again [ə'gen] - wieder
2. agitate, perturb ['ædʒɪteɪt | pə'tɜːb] - sich aufregen
3. ah [ɑː] - oh
4. aloud [ə'laʊd] - laut
5. already [ɔːl'redɪ] - schon
6. animal ['ænɪməl] - das Tier
7. answer ['ɑːnsə] - antworten
8. apple ['æpəl] - der Apfel
9. ask (for something) [ɑːsk fə 'sʌmθɪŋ] - um etwas bitten, nach etwas fragen
10. baby kangaroo ['beɪbɪ ˌkæŋgə'ruː] - das Baby Känguru
11. balloon [bə'luːn] - der Ballon
12. be [bɪ] - sein
13. be afraid of, fear [bɪ ə'freɪd ɔv | fɪə] - Angst haben
14. be held [bɪ held] - gehalten werden
15. be on time [bɪ ɔn 'taɪm] - pünktlich sein
16. be sad [bɪ sæd] - traurig sein
17. bird [bɜːd] - der Vogel
18. bite [baɪt] - beißen
19. bread [bred] - das Brot
20. brother ['brʌðə] - der Bruder
21. but [bʌt] - aber
22. buy [baɪ] - kaufen
23. can [kæn] - kann
24. careful ['keəfʊl] - vorsichtig
25. carnivore ['kɑːnɪvɔː] - der Fleischfresser
26. carriage ['kærɪdʒ] - der Wagen
27. celebratory [ˌselə'breɪtərɪ] - feierlich
28. cheeky ['tʃiːkɪ] - frech
29. clamour ['klæmə] - schreien
30. clap [klæp] - klatschen

31. clown [klaʊn] - der Clown
32. comedy ['kɔmədɪ] - die Komödie
33. competition [ˌkɔmpə'tɪʃən] - der Wettbewerb
34. concert [kən'sɜːt] - das Konzert
35. count [kaʊnt] - zählen
36. cramped [kræmpt] - eingeengt
37. dangerous ['deɪndʒərəs] - gefährlich
38. eat [iːt] - essen
39. egg [eg] - das Ei
40. eleven [ɪ'levən] - elf
41. entire [ɪn'taɪə] - gesamt
42. entrance hall [ɪn'trɑːns hɔːl] - die Eingangshalle
43. even ['iːvən] - sogar, gleich
44. event [ɪ'vent] - die Veranstaltung/das Event
45. exclaim [ɪk'skleɪm] - rufen
46. fair [feə] - fair/gerecht
47. fall [fɔːl] - fallen
48. farther, further ['fɑːðə | 'fɜːðə] - weiter
49. fence [fens] - der Zaun
50. firmly ['fɜːmlɪ] - fest
51. for a long time, a long time ago [fər ə 'lɔŋ 'taɪm | ə 'lɔŋ 'taɪm ə'gəʊ] - für eine lange Zeit, vor einer langen Zeit
52. free [friː] - frei
53. gate [geɪt] - das Tor
54. get confused ['get kən'fjuːzd] - verwirrt sein
55. get hungry ['get 'hʌŋgrɪ] - hungrig werden
56. get sick ['get sɪk] - krank werden
57. give [gɪv] - geben
58. give a ride (to somebody) [gɪv ə raɪd tə 'sʌmbədɪ] - jemanden mit etwas fahren lassen, reiten lassen
59. give out [gɪv 'aʊt] - ausgeben, verteilen
60. glass ['glɑːs] - das Glas
61. go [gəʊ] - gehen
62. goods [gʊdz] - die Güter
63. handmade [hænd'meɪd] - handgemacht
64. happy ['hæpɪ] - glücklich
65. have to (do something) [həv tə də 'sʌmθɪŋ] - muss (etwas tun)
66. head off to [hed ɔf tuː] - in Richtung... fahren/gehen
67. hear [hɪə] - hören
68. here [hɪə] - hier
69. hit oneself [hɪt wʌn'self] - sich schlagen, hinfallen
70. hold [həʊld] - halten
71. I ['aɪ] - ich
72. if [ɪf] - wenn/falls
73. interesting ['ɪntrəstɪŋ] - interessant

74. joyful, happy ['dʒɔɪfəl | 'hæpɪ] - fröhlich, glücklich
75. jump [dʒʌmp] - springen
76. know [nəʊ] - wissen/kennen
77. laugh [lɑːf] - lachen
78. leaves [liːvz] - die Blätter
79. let's [lets] - lasst uns
80. loud [laʊd] - laut
81. make noise ['meɪk nɔɪz] - Lärm machen
82. make someone angry ['meɪk 'sʌmwʌn 'æŋgrɪ] - jemanden wütend machen
83. mass (in Church) [mæs ɪn tʃɜːtʃ] - die Messe
84. match [mætʃ] - das Spiel
85. me [miː] - mir/mich
86. most of all [məʊst əv ɔːl] - am meisten
87. mouth [maʊθ] - der Mund
88. newspaper ['njuːspeɪpə] - die Zeitung
89. nobody ['nəʊbədɪ] - niemand/keiner
90. nod [nɔd] - nicken
91. now [naʊ] - jetzt
92. only, just ['əʊnlɪ | dʒəst] - nur
93. open ['əʊpən] - öffnen
94. our ['aʊə] - unser/e
95. painful ['peɪnfəl] - schmerzhaft
96. palm [pɑːm] - die Handfläche
97. palms [pɑːmz] - die Handflächen
98. photo exhibition ['fəʊtəʊ ˌeksɪ'bɪʃən] - die Fotoausstellung
99. play around, mess around ['pleɪ ə'raʊnd | mes ə'raʊnd] - herumspielen
100. point out [pɔɪnt 'aʊt] - zeigen
101. polite [pə'laɪt] - höflich
102. pony ['pəʊnɪ] - das Pony
103. pour water [pɔː 'wɔːtə] - Wasser gießen
104. put out (a hand), stretch ['pʊt 'aʊt ə hænd | stretʃ] - eine Hand ausstrecken
105. put, place ['pʊt | 'pleɪs] - stellen/setzen/legen
106. quarrel ['kwɔrəl] - streiten
107. question ['kwestʃən] - die Frage
108. quiet down ['kwaɪət daʊn] - leise werden
109. real [rɪəl] - echt
110. reprove [rɪ'pruːv] - ermahnen
111. roar [rɔː] - brüllen
112. run away [rʌn ə'weɪ] - weglaufen
113. say ['seɪ] - sagen

114. scare, frighten [skeə | 'fraɪtən] - erschrecken
115. section ['sekʃən] - die Sektion
116. shed [ʃed] - abstoßen
117. shout [ʃaʊt] - rufen
118. show [ʃəʊ] - zeigen
119. sister ['sɪstə] - die Schwester
120. sit down [sɪt daʊn] - hinsetzen
121. snatch out [snætʃ 'aʊt] - schnappen
122. so ['səʊ] - so
123. steal [stiːl] - stehlen/klauen
124. stop (doing something) [stɔp] - aufhören
125. stripe [straɪp] - die Streifen
126. striped [straɪpt] - gestreift
127. stuffed bun [stʌft bʌn] - das belegte Brötchen
128. such [sʌtʃ] - solches/solche/solcher
129. suddenly [sʌdənlɪ] - plötzlich
130. sunny ['sʌnɪ] - sonnig
131. swallow ['swɔləʊ] - schlucken
132. swim [swɪm] - schwimmen
133. team [tiːm] - das Team
134. thank you [θæŋk jʊ] - danke
135. them [ðəm] - sie/sich/ihnen/denen
136. track and field athlete [træk ənd fiːld 'æθliːt] - der Leichtathlet
137. trust, believe [trʌst | bɪ'liːv] - vertrauen, glauben
138. try ['traɪ] - versuchen
139. us [əz] - uns
140. warm [wɔːm] - warm
141. wave [weɪv] - winken
142. way ['weɪ] - der Weg
143. we [wɪ] - wir
144. weather ['weðə] - das Wetter
145. where [weə] - wo
146. who [huː] - wer
147. whole [həʊl] - ganz
148. why [waɪ] - warum
149. wish [wɪʃ] - wünschen
150. worker ['wɜːkə] - der Arbeiter
151. you [jʊ] - du/Sie

It's Sunday today. It's nine o'clock in the morning now. The weather is warm and sunny. Children are still asleep. Mother and Father are in the kitchen. Mother cooks breakfast. She boils some eggs and toasts the bread. Then she makes coffee and tea. Father reads the newspaper to Mother. He reads the section on events that take place in the city this Sunday. "Let's see now what interesting events will take place in our town today," Father says. "A celebratory mass starts at eight in the

Heute ist Sonntag. Es ist jetzt neun Uhr morgens. Das Wetter ist warm und sonnig. Die Kinder schlafen noch. Mutter und Vater sind in der Küche. Mutter kocht Frühstück. Sie kocht ein paar Eier und toasted das Brot. Dann macht sie Kaffee und Tee. Vater liest Mutter die Zeitung vor. Er liest den Abschnitt über Veranstaltungen, die diesen Sonntag in der Stadt stattfinden. „Lasst uns sehen was für interessante Veranstaltungen heute in unserer Stadt stattfinden," sagt Vater. „Eine feierliche Messe beginnt um acht Uhr morgens in der Kirche. Um

morning in the church. At ten o'clock, a photo exhibit is going to be opened in the City Hall's entrance hall. Track and field competition starts at eleven o'clock on the stadium, and a soccer match between city's teams will be held at four o'clock. Free ice cream and pony rides will be given out to kids all day long at the zoo. Handmade goods fair will be held in the city park. A concert will start at two o'clock on the square near the theatre. A funny comedy will be shown at six in the theatre."

"I think our kids want to go to the zoo most," Mother says.

"I think so too," answers Father. "They've wanted to ride a pony for a long time now."

Mother puts the food on the table and Father goes to wake up the kids. Children go to the bathroom first, wash their faces, change clothes, and then sit at the table and eat breakfast.

After breakfast, the entire

zehn Uhr wird eine Fotoausstellung in der Eingangshalle des Rathauses eröffnet. Ein Leichtathletik Wettbewerb beginnt um elf Uhr im Stadion und ein Fußballspiel zwischen den Mannschaften der Stadt findet um vier Uhr statt. Für Kinder gibt es den ganzen Tag über kostenloses Eis und Ponyreiten im Zoo. Ein Handwerkermarkt wird im Stadtpark stattfinden. Ein Konzert wird um zwei Uhr auf dem Platz in der Nähe des Theaters beginnen. Eine lustige Komödie wird um sechs im Theater aufgeführt."

„Ich denke, dass unsere Kinder am meisten in den Zoo gehen wollen," sagt Mutter.

„Das denke ich auch," antwortet Vater. „Sie wollen schon seit langem ein Pony reiten."

Mutter stellt das Essen auf den Tisch und Vater geht um die Kinder aufzuwecken. Die Kinder gehen zuerst ins Badezimmer, waschen ihre Gesichter, wechseln ihre Kleidung und sitzen dann am Tisch und essen Frühstück.

Nach dem Frühstück geht die ganze Familie nach draußen.

family goes outside. Father drives the car out of the garage, and Mother and children get in. They ride to the zoo.

Vater fährt das Auto aus der Garage und Mutter und die Kinder steigen ein. Sie fahren zum Zoo.

There is a line to get to the ticket booth at the zoo entrance. While father stands in the ticket line, Mother buys balloons for the kids. Alex starts playing around and tries to take away Lena's balloon. Lena tries to run away from Brother. Children start running around mother and Michael. Michael catches his younger brother and holds his hand firmly. Mother holds her daughter Lena by the hand.
"Don't play around, you are

Es gibt eine Schlange um zum Ticketschalter am Zooeingang zu kommen. Während Vater in der Schlange für die Tickets steht, kauft Mutter Ballons für die Kinder. Alex fängt an herumzuspielen und versucht Lenas Ballon wegzunehmen. Lena versucht vor ihrem Bruder wegzulaufen. Die Kinder fangen an um Mutter und Michael herumzulaufen. Michael fängt seinen jüngeren Bruder und hält seine Hand fest. Mutter nimmt ihre Tochter Lena an die Hand.
„Spiel nicht herum, du bist schon

already big," older brother tells Alex. "And Lena is still little. She can fall and hit herself painfully. Then we will have to return home."
In five minutes father approaches with the tickets. The family enters the zoo. Clowns stand behind the zoo's gates and give out free ice cream to children. The kids are happy, they love ice cream.

groß," sagt der ältere Bruder zu Alex. „Und Lena ist noch klein. Sie kann hinfallen und sich wehtun. Dann müssen wir nach Hause zurückkehren."
Fünf Minuten später nähert sich Vater mit den Tickets. Die Familie geht in den Zoo. Clowns stehen hinter den Toren des Zoos und geben den Kindern gratis Eis. Die Kinder sind glücklich, sie lieben Eis.

"Here are the ponies!" Alex shouts. "I want to ride a pony!"
"Me too! I want to ride a pony too!" asks Lena.
"You can't, you are still little," says Alex. "You'll fall, hit

„Hier sind die Ponys!" ruft Alex. „Ich möchte ein Pony reiten!"
„Ich auch! Ich möchte auch ein Pony reiten!" fragt Lena.
„Du darfst nicht, du bist noch klein," sagt Alex. „Du wirst hinfallen, dir wehtun und dann

yourself, and we'll have to go back home."
"And you can't eat ice cream," little sister clamours. "You'll get sick."
"Children, don't argue," Mother says. "You'll sit in the carriage together right now, and the ponies will ride you around the zoo. You'll hold each other and nobody will fall."
"Michael, hold your brother and sister," Father says.
"Have a pleasant journey!" parents wish when their children get into on the carriage.
Children laugh and wave hands at their parents. While the kids are on the pony ride, Mother and Father walk along the alley. In fifteen minutes, children return. They are happy. "Now let's go see the animals," Father says.
"Ah, Mother, Father, look, it's a real giraffe!" Lena exclaims. "What a long neck he has! Alex, let's feed him."

müssen wir zurück nach Hause."
„Und du darfst kein Eis essen," schreit die kleine Schwester. „Du wirst krank werden."
„Kinder, streitet euch nicht," sagt Mutter. „Ihr werdet jetzt zusammen im Wagen sitzen und die Ponys werden euch durch den Zoo tragen. Ihr werdet einander festhalten und keiner wird fallen."

„Michael, halt deinen Bruder und deine Schwester," sagt Vater.
„Habt eine gute Reise!" wünschen die Eltern als ihre Kinder in den Wagen steigen.
Die Kinder lachen und winken ihren Eltern. Während die Kinder auf dem Ponyritt sind, gehen Mutter und Vater entlang des Wegs. In fünfzehn Minuten kommen die Kinder wieder. Sie sind glücklich. „Lasst und jetzt die Tiere anschauen," sagt Vater.
„Ach, Mutter, Vater, schaut, es ist eine echte Giraffe!" ruft Lena. „Was für einen langen Hals sie hat! Alex, lass uns sie füttern."
„Hast du keine Angst, dass sie

"Aren't you afraid that he is going to bite you?" Brother asks.

"Giraffes don't bite, they are kind," Sister answers. "Look, they eat leaves and grass."

The family walks further to the next animal. They see a pool behind the fence.

"A hippopotamus swims there," Mother says. "Look, he'll appear from the water now."

"I see him," Michael says. "He is big and black. He is swimming toward us."

Next there is a tiger's lawn. "Does the tiger swim too?" Lena asks.

"Yes, tigers can swim," says Mother. "They run and jump. Tigers often hunt other animals. They also climb trees well."

"The tiger is so beautiful, striped. Does he bite?" Daughter asks.

"He does bite! He'll jump over the fence now and bite you!" Alex scares his sister.

"The tiger is a dangerous

dich beißen wird?" fragt der Bruder.

„Giraffen beißen nicht, sie sind freundlich," antwortet die Schwester. „Schau, sie essen Blätter und Gras."

Die Familie geht weiter zum nächsten Tier. Sie sehen ein Becken hinter dem Zaun.

„Ein Nilpferd schwimmt dort," sagt Mutter. „Schau, er wird jetzt aus dem Wasser auftauchen."

„Ich sehe es," sagt Michael. „Es ist groß und schwarz. Es schwimmt auf uns zu."

Als nächstes gibt es einen Tiger-Rasen. „Schwimmt der Tiger auch?" fragt Lena.

„Ja, Tiger können schwimmen," sagt Mutter. „Sie rennen und springen. Tiger jagen oft andere Tiere. Sie klettern auch gut auf Bäume."

„Der Tiger ist so schön gestreift. Beißt er?" fragt die Tochter.

„Er beißt! Er wird jetzt über den Zaun springen und dich beißen!" Alex macht seiner Schwester Angst.

„Der Tiger ist ein gefährliches

animal. He is a carnivore. If someone makes him angry, he might not only bite, but also attack a human," Father explains. "This is why his lawn is placed behind two tall fences. He cannot jump over them."

Tier. Er ist ein Fleischfresser. Wenn ihn jemand wütend macht, dann könnte er nicht nur beißen, sondern auch einen Menschen angreifen," erklärt Vater. „Deshalb ist sein Gehege hinter zwei großen Zäunen. Er kann nicht über sie rüber springen."

"Alex, look, zebra is also striped," Lena says.
"But the tiger has yellow and black stripes, and zebra's stripes are white and black," Alex says. "And zebras don't

„Alex, schau, das Zebra ist auch gestreift," sagt Lena.
„Aber der Tiger hat gelbe und schwarze Streifen und die Streifen vom Zebra sind weiß und schwarz," sagt Alex. „Und

bite."
The family stops next to the elephant's ground. There are many kids with parents at the enclosure. "The elephant is big and kind," Lena says. "Can we feed him?"
A zoo worker is standing nearby, and he hears Lena's question.
"You can give an apple to the elephant, but carefully," he answers.
Mother takes an apple out of her bag and puts it on Lena's palm. Then they approach the enclosure together. Lena puts out her hand with the apple toward the elephant. The elephant stretches his trunk toward Lena, takes the apple from her palm, and puts it in his mouth. The elephant nods his head.
"He says thank you," the zoo worker explains. "Our elephant is very polite."
Then the elephant walks to the pool, fills his trunk with water, and starts pouring water over himself.

Zebras beißen nicht."
Die Familie hält neben dem Elefantengehege an. Es gibt viele Kinder mit Eltern am Gehege. „Der Elefant ist groß und freundlich," sagt Lena. „Können wir ihn füttern?"
Ein Zooarbeiter steht in der Nähe und er hört Lenas Frage.
„Du kannst dem Elefanten einen Apfel geben, aber vorsichtig," antwortet er.
Mutter nimmt einen Apfel aus ihrem Beutel und legt ihn auf Lenas Handfläche. Dann nähern sie sich zusammen dem Gehege. Lena hält ihre Hand mit dem Apfel dem Elefanten hin. Der Elefant streckt seinen Rüssel zu Lena, nimmt den Apfel von ihrer Handfläche und tut ihn in seinen Mund. Der Elefant nickt mit seinem Kopf.
„Er sagt danke," erklärt der Zooarbeiter. „Unser Elefant ist sehr höflich."
Dann geht der Elefant zum Becken, füllt seinen Rüssel mit Wasser und fängt an sich mit Wasser zu übergießen.

The children get hungry, and Mother buys them some stuffed buns. Alex is eating a bun and comes close to the monkey cage. Suddenly a monkey jumps toward the fence and snatches the stuffed bun away.
"Ah!" Alex is confused. "This monkey snatched my bun!"
"What a cheeky monkey!" Lena clamours. "She didn't even thank you." Everyone laughs.
"Monkeys don't talk," Alex tells his sister. "But they climb trees well."

Die Kinder werden hungrig und Mutter kauft ihnen ein paar belegte Brötchen. Alex isst ein Brötchen und kommt in die Nähe des Affenkäfigs.
Plötzlich springt ein Affe an den Zaun und schnappt sich das belegte Brötchen.
„Oh!" Alex ist verwirrt. „Dieser Affe hat mein Brötchen geschnappt!"
„Was für ein frecher Affe!" schreit Lena hat noch nicht mal danke gesagt." Alle lachen.
„Affen reden nicht," erzählt Alex seiner Schwester. „Aber sie klettern gut auf Bäume."

"Look, what a huge bird," Father says at the eagle's cage. "This is an eagle. He can see very well and he flies high. He feels cramped in the cage. The eagle is sad."
"This is a bird as well," Mother says, pointing at the ostrich. "Only this bird, an ostrich, never flies. But the ostrich has long and strong legs. That's why he runs fast and dances beautifully. Also, ostriches can fight with their legs."
"Let's go to the terrarium and look at a crocodile and a python," Michael suggests. The family stops next to the crocodile.
"Why is he behind glass?" Lena asks.
"The crocodile is very dangerous; he has big, sharp teeth," the older brother explains.
"He'll eat you right now!" Alex scares his sister again.
"No, he won't because he is behind the glass," Lena answers to Brother.

„Schaut, was für ein großer Vogel," sagt Vater beim Adlerkäfig. „Dies ist ein Adler. Er kann sehr gut sehen und er fliegt hoch. Er fühlt sich in dem Käfig eingeengt. Der Adler ist traurig."
„Das ist auch ein Vogel," sagt Mutter und zeigt auf den Strauß. „Aber dieser Vogel, ein Strauß, fliegt nie. Aber der Strauß hat lange und starke Beine. Deswegen rennt er schnell und tanzt schön. Außerdem können Sträuße mit ihren Beinen kämpfen."
„Lasst uns zum Terrarium gehen und ein Krokodil und eine Python anschauen," schlägt Michael vor. Die Familie hält neben dem Krokodil an.
„Warum ist es hinter dem Glas?" fragt Lena.
„Das Krokodil ist sehr gefährlich; es hat große, scharfe Zähne," erklärt der ältere Bruder.
„Es wird dich sofort essen!" Alex macht seiner Schwester wieder Angst. „Nein, wird er nicht, weil er hinter dem Glas ist," antwortet Lena ihrem Bruder.

"Then this huge python will swallow you!" the middle brother won't quiet down.
"No, he won't swallow me because he is also behind the glass!" Lena clamours.
"Children, don't be noisy," Father reproves. "You are scaring the animals. They are afraid of you."
"See, Alex, the animals are scared of us," Lena says. "They think we have come to eat them."
The family exits the pavilion and goes toward the kangaroo meadow.
"I know, this is a kangaroo," Lena says. "She has a pouch on her belly, and a baby kangaroo is inside the pouch."
"Who is that behind the fence over there?" Alex asks.
"It's a deer," Michael answers.
"He doesn't look like a deer. Where are his horns?" Lena doesn't believe him.
"He has already shed his old, branched horns," the older

„Dann wird dich diese riesige Python verschlucken!" Der mittlere Bruder will sich einfach nicht beruhigen. „Nein, sie wird mich nicht verschlucken, weil sie auch hinter dem Glas ist!" schreit Lena.
„Kinder, seid nicht laut," tadelt Vater. „Ihr macht den Tieren Angst. Sie haben Angst vor euch." „Siehst du, Alex, die Tiere haben Angst vor uns," sagt Lena. „Sie denken, dass wir gekommen sind um sie zu essen."
Die Familie verlässt den Pavillon und geht in Richtung der Känguru Wiese.
„Ich weiß, dies ist ein Känguru," sagt Lena.
„Es hat einen Beutel auf dem Bauch und ein Baby Känguru ist in dem Beutel drin."
„Wer ist das hinter dem Zaun da drüben?" fragt Alex.
„Das ist ein Hirsch," antwortet Michael.
„Er sieht nicht aus wie ein Hirsch. Wo ist sein Geweih?" Lena glaubt ihm nicht.
„Er hat sein altes, sich gabelndes Geweih schon verloren," erklärt der ältere Bruder. „Und das neue

brother explains. "And the new horns haven't grown yet."
The family approaches a cage with the bear. The bear roars and walks around the cage. He is hungry. A zoo worker brings him the food and puts it inside the container. The bear stops roaring and runs to eat.
"Let's go and eat, too," Father suggests, and the family heads off to the café.

Geweih ist noch nicht gewachsen."
Die Familie nähert sich einem Käfig mit dem Bären. Der Bär brüllt und geht im Käfig herum. Er ist hungrig. Ein Zooarbeiter bringt ihm das Fressen und tut es in einen Behälter. Der Bär hört auf zu brüllen und läuft zum Essen.
„Lasst uns gehen und auch etwas essen," schlägt Vater vor und die Familie geht in Richtung des Cafés.

Questions and answers

- What day is it today?
- It's Sunday today.
- What time is it now?
- It's nine o'clock in the morning.
- Is the weather cold and rainy?
- No, the weather is warm and sunny.
- Are children running around the house?
- No, they are still asleep.

Fragen und Antworten

- Welcher Tag ist heute?
- Heute ist Sonntag.
- Wie viel Uhr ist es jetzt?
- Es ist neun Uhr morgens.
- Ist das Wetter kalt und regnerisch?
- Nein, das Wetter ist warm und sonnig.
- Laufen die Kinder ums Haus herum?

- Who is in the kitchen?
- Mother and Father are in the kitchen.
- What is mother doing?
- Mother is cooking breakfast.
- What is she cooking?
- She is boiling some eggs and toasting the bread. Then Mother makes coffee and tea.
- Is Father cooking breakfast too?
- No, Father is reading a newspaper to mother aloud.
- What is he reading about?
- He is reading about the events in the city this Sunday.
- What time does the celebratory mass begin?
- At eight o'clock in the morning.
- Where does the photo exhibition open?
- It opens in the City Hall's entrance hall.
- What will be held at the stadium?
- Track and field athletes' competition and soccer match between the city's teams.
- What will be given out to the children at the zoo?

- Nein, sie schlafen noch.
- Wer ist in der Küche?
- Mutter und Vater sind in der Küche.
- Was macht Mutter?
- Mutter kocht Frühstück.
- Was kocht sie?
- Sie kocht ein paar Eier und toasted das Brot. Dann macht Mutter Kaffee und Tee.
- Kocht Vater auch Frühstück?
- Nein, Vater liest Mutter laut die Zeitung vor.
- Worüber liest er?
- Er liest über die Veranstaltungen diesen Sonntag in der Stadt.
- Wann fängt die feierliche Messe an?
- Um acht Uhr morgens.
- Wo eröffnet die Foto-Ausstellung?
- Sie eröffnet in der Eingangshalle des Rathauses.
- Was findet im Stadion statt?
- Leichtathletik Wettbewerb und ein Fußballspiel zwischen den Teams der Stadt.
- Was wird im Zoo an die

- Free ice cream.
- Where will they give pony rides to kids?
- At the zoo.
- Which fair is going to be held in the city park?
- Handmade goods fair will be held there.
- Where will the concert start at two o'clock?
- On the square near the theatre.
- What will they show in the theatre at six o'clock?
- They will show a funny comedy there.
- Why do children want to go to the zoo most of all?
- Because they've wanted to ride a pony for a long time.
- Who puts the food on the table, Mother or Father?
- Mother puts the food on the table.
- Does Mother also go to wake up the kids?
- No, Father goes to wake up the kids.
- Where do children go first?
- Children go to the bathroom

Kinder verteilt?
- Gratis Eis.
- Wo gibt es Ponyreiten für Kinder?
- Im Zoo.
- Welcher Markt findet im Stadtpark statt?
- Ein Kunsthandwerkermarkt findet dort statt.
- Wo wird das Konzert um zwei Uhr anfangen?
- Auf dem Platz in der Nähe des Theaters.
- Was wird um sechs Uhr im Theater gezeigt?
- Es wird eine lustige Komödie gezeigt.
- Warum wollen die Kinder am liebsten in den Zoo gehen?
- Weil sie schon seit langer Zeit ein Pony reiten wollen.
- Wer stellt das Essen auf den Tisch, Mutter oder Vater?
- Mutter stellt das Essen auf den Tisch.
- Weckt Mutter auch die Kinder auf?
- Nein. Vater weckt die Kinder auf.
- Wo gehen die Kinder als erstes hin?

first.

- What do children do in the bathroom?
- They wash their faces.
- Who drives the car out of the garage?
- Father drives the car out of the garage.
- Where does the family go?
- They go to the zoo.
- Is there a line at the ticket booth?
- Yes, there is a line at the ticket booth at the Zoo entrance.
- Who stands in the ticket line, Mother or father?
- Father stands in line to get the tickets.
- What does Mother do while Father stands in line?
- Mother buys balloons to children.
- How does Alex behave?
- Alex starts playing around and tries to take the balloon away from Lena.
- Does Lena give him the balloon?
- No, she tries to run away from Brother.

- Die Kinder gehen zuerst ins Badezimmer.
- Was machen die Kinder im Badezimmer?
- Sie waschen ihre Gesichter.
- Wer fährt das Auto aus der Garage?
- Vater fährt das Auto aus der Garage.
- Wo geht die Familie hin?
- Sie gehen zum Zoo.
- Gibt es eine Schlange am Ticketschalter?
- Ja, es gibt eine Schlange am Ticketschalter beim Zooeingang.
- Wer steht in der Schlange, Mutter oder Vater?
- Vater steht in der Schlange um die Tickets zu bekommen.
- Was macht Mutter während Vater in der Schlange steht?
- Mutter kauft Ballons für die Kinder.
- Wie benimmt sich Alex?
- Alex fängt an herumzuspielen und versucht Lena den Ballon wegzunehmen.
- Gibt Lena ihm den Ballon?
- Nein, sie versucht vor ihrem

- Do children stand in one place?
- No, they start running around mother and Michael.
- What does Michael do?
- He catches his younger brother and holds his hand firmly.
- Who holds Lena by the hand?
- Mother holds Lena by the hand.
- What can happen if children run around?
- Lena can fall and hit herself painfully.
- Who stands behind the zoo's gates?
- Clowns stand behind the gates of the zoo.
- What do clowns give out to children?
- They give out free ice cream.
- Do children like ice cream?
- Yes, they love ice cream very much.
- What do Alex and Lena want?
- They want to ride a pony.
- What does Father say to the oldest son?
- Father tells Michael to hold his brother and sister.

Bruder wegzulaufen.
- Stehen die Kinder an einem Fleck?
- Nein, sie fangen an um Mutter und Michael herumzulaufen.
- Was macht Michael?
- Er fängt seinen jüngeren Bruder und hält seine Hand fest.
- Wer hält Lena an der Hand?
- Mutter hält Lena an der Hand.
- Was kann passieren wenn Kinder herumlaufen?
- Lena kann hinfallen und sich sehr wehtun.
- Wer steht hinter den Toren des Zoos?
- Clowns stehen hinter den Toren des Zoos.
- Was verteilen die Clowns an die Kinder?
- Sie verteilen gratis Eis.
- Mögen die Kinder Eis?
- Ja, sie lieben Eis sehr.
- Was möchten Alex und Lena?
- Sie möchten ein Pony reiten.
- Was sagt Vater zu dem ältesten Sohn?
- Vater sagt Michael, dass er seinen Bruder und seine

- What do parents wish to their children when they get into the carriage?
- Parents wish them to have a pleasant journey.
- What do children do?
- Children laugh and wave at their parents.
- In how many minutes do children come back?
- Children come back in fifteen minutes.
- What do Mother and Father do while children ride the pony?
- Mother and Father walk along the alley.
- Which of the animals did Lena see first?
- She saw a giraffe.
- What did she pay attention to?
- To his long neck.
- What does Lena suggest to Alex?
- Lena suggests feeding the giraffe.
- What do giraffes eat?
- They eat leaves and grass.
- Where does the hippopotamus swim?

Schwester halten soll.
- Was wünschen die Eltern den Kindern, wenn sie in den Wagen steigen?
- Die Eltern wünschen ihnen eine angenehme Reise.
- Was machen die Kinder?
- Die Kinder lachen und winken ihren Eltern.
- Nach wie vielen Minuten kommen die Kinder zurück?
- Die Kinder kommen in fünfzehn Minuten zurück.
- Was machen Mutter und Vater während die Kinder das Pony reiten?
- Mutter und Vater gehen den Weg entlang.
- Welches der Tiere hat Lena als erstes gesehen?
- Sie sah eine Giraffe.
- Worauf hat sie geachtet?
- Auf ihren langen Hals.
- Was schlägt Lena Alex vor?
- Lena schlägt vor die Giraffe zu füttern.
- Was essen Giraffen?
- Sie essen Blätter und Gras.
- Wo schwimmt das Nilpferd?
- Das Nilpferd schwimmt in dem Becken.

- Hippopotamus swims in the pool.
- What does Lena ask her mother?
- She asks if tigers swim.
- What does Mother answer her?
- Mother answers that tigers swim, and they also run and jump.
- How does Alex scare his sister?
- He says that the tiger is going to jump over the fence and bite her now.
- What does Father explain to Daughter?
- Father explains that tiger is a dangerous animal, so his lawn is located behind two tall fences.
- Can the tiger jump over them?
- No, he can't.
- What does Lena notice?
- She notices that zebra is striped as well.
- What stripes do zebra and tiger have?
- The tiger has yellow and black stripes, and zebra's

- Was fragt Lena ihre Mutter?
- Sie fragt ob Tiger schwimmen.
- Was antwortet Mutter ihr?
- Mutter antwortet, dass Tiger schwimmen und sie rennen und springen auch.
- Wie macht Alex seiner Schwester Angst?
- Er sagt, dass der Tiger über den Zaun springen und sie jetzt beißen wird.
- Was erklärt Vater der Tochter?
- Vater erklärt, dass der Tiger ein gefährliches Tier ist, deshalb befindet sich sein Gehege hinter zwei hohen Zäunen.
- Kann der Tiger über sie springen?
- Nein, das kann er nicht.
- Was bemerkt Lena?
- Sie bemerkt, dass Zebras auch gestreift sind.
- Welche Streifen haben Zebra und Tiger?
- Der Tiger hat gelbe und schwarze Streifen und die Streifen des Zebras sind weiß und schwarz.

stripes are white and black.
- Who is next to the elephant ground?
- Many children with parents are at the elephant's ground.
- Who allows feeding the elephant?
- A zoo worker allows feeding the elephant.
- What can one give to the elephant?
- One can give him an apple.
- What does Mother do?
- Mother takes an apple out of the bag and puts it on Lena's palm.
- How does Lena feed the elephant?
- She puts out her hand with the apple to the elephant.
- How does the elephant eat?
- The elephant stretches his trunk toward Lena, takes the apple from her palm and puts it in his mouth.
- Is Lena happy?
- Yes, she laughs and claps her hands.
- How does the elephant thank Lena?
- The elephant nods his head.

- Wer ist neben dem Elefantengehege?
- Viele Kinder mit Eltern sind am Elefantengehege.
- Wer erlaubt es, den Elefanten zu füttern?
- Ein Zooarbeiter erlaubt es, den Elefanten zu füttern.
- Was kann man dem Elefanten geben?
- Man kann ihm einen Apfel geben.
- Was macht Mutter?
- Mutter nimmt einen Apfel aus der Tasche und legt ihn in Lenas Handfläche.
- Wie füttert Lena den Elefanten?
- Sie hält ihre Hand mit dem Apfel dem Elefanten entgegen.
- Wie isst der Elefant?
- Der Elefant streckt seinen Rüssel Lena entgegen, nimmt den Apfel von ihrer Handfläche und tut ihn in seinen Mund.
- Ist Lena glücklich?
- Ja, sie lacht und klatscht ihre Hände.
- Wie bedankt sich der Elefant bei Lena?
- Der Elefant nickt seinen Kopf.

- What does the elephant do near the pool?

- Was macht der Elefant in der Nähe des Beckens?

- He fills his trunk with water and starts pouring water over himself.

- Er füllt seinen Rüssel mit Wasser und fängt an sich mit Wasser zu übergießen.

- What does Mother buy for her kids?

- Was kauft Mutter für ihre Kinder?

- Mother buys them stuffed buns.

- Mutter kauft ihnen belegte Brötchen.

- Where does Alex come with the stuffed bun?

- Wo kommt Alex mit dem belegten Brötchen hin?

- He comes close to the monkey's cage.

- Er kommt in die Nähe des Affenkäfigs.

- What does the monkey do?

- Was macht der Affe?

- She jumps to the fence and snatches away Alex's bun.

- Er springt an den Zaun und schnappt sich das Brötchen von Alex.

- Is everybody angry at the monkey?

- Sind alle sauer auf den Affen?

- No, everyone laughs loudly.

- Nein, alle lachen laut.

- What agitates Lena?

- Was regt Lena auf?

- It agitates her that the monkey is cheeky.

- Es regt sie auf, dass der Affe frech ist.

- Why didn't the monkey say "thank you"?

- Warum hat der Affe nicht „danke" gesagt?

- Because monkeys don't talk.

- Weil Affen nicht sprechen.

- Which bird can see well and flies high?

- Welcher Vogel kann gut sehen und hoch fliegen?

- It's an eagle.

- Es ist ein Adler.

- Why is the eagle sad?

- Warum ist der Adler traurig?

- Because he feels cramped in his cage.

- Weil er sich in seinem Käfig eingeengt fühlt.

- Which bird never flies?
- An ostrich never flies.
- What can the ostrich do?
- He can run very fast and dance beautifully. Ostriches also can fight using their legs.
- Where are the crocodile and the python?
- They are in the terrarium.
- Why is the crocodile behind glass?
- Because the crocodile is very dangerous, he has big and sharp teeth.
- Why is Lena not scared of the crocodile and the python?
- Because they are behind glass.
- What animal does Lena recognize?
- She recognizes a kangaroo.
- What does the kangaroo have?
- She has a pouch on her belly, and a baby kangaroo is inside.
- Why Lena doesn't recognize the deer?
- Because he has no horns.
- Where ate his horns?
- He has already shed his old, branched horns, and the new

- Welcher Vogel fliegt nie?
- Ein Strauß fliegt nie.
- Was kann der Strauß tun?
- Er kann sehr schnell laufen und schön tanzen. Sträuße können mit ihren Beinen kämpfen.
- Wo sind das Krokodil und die Python?
- Sie sind im Terrarium.
- Warum ist das Krokodil hinter Glas?
- Weil das Krokodil sehr gefährlich ist, es hat große und scharfe Zähne.
- Warum hat Lena keine Angst vor dem Krokodil und der Python?
- Weil sie hinter Glas sind.
- Welches Tier erkennt Lena?
- Sie erkennt ein Känguru.
- Was hat das Känguru?
- Es hat einen Beutel auf dem Bauch, und ein Baby Känguru ist da drin.
- Warum erkennt Lena den Hirsch nicht?
- Weil er kein Geweih hat.
- Wo ist sein Geweih?
- Er hat sein altes, sich gabelndes Geweih abgeworfen

ones haven't grown yet.

- Where is the bear located?
- He is in the cage.
- Is he asleep?
- No, he roars and walks around the cage.
- Why does the bear roar?
- He wants to eat.
- Who brings him the food?
- A zoo worker brings the food to the bear.
- What does Father suggest?
- Father suggests going and eating, and the family heads off to the café.

und das neue ist noch nicht gewachsen.

- Wo befindet sich der Bär?
- Er ist in dem Käfig.
- Schläft er?
- Nein, er brüllt und geht im Käfig umher.
- Warum brüllt der Bär?
- Er will etwas essen.
- Wer bringt ihm das Essen?
- Ein Zooarbeiter bringt dem Bär das Essen.
- Was schlägt Vater vor?
- Vater schlägt vor essen zu gehen und die Familie geht in Richtung Café.

The children's clinic

Die Kinderklinik

Words

Vokabeln

1. acute respiratory disease [ə'kjuːt rɪ'spɪrətrɪ dɪ'ziːz] - die akute Atemwegserkrankung
2. age [eɪdʒ] - das Alter
3. allow, permit [ə'laʊ | pə'mɪt] - erlauben
4. answer ['ɑːnsə] - antworten
5. ask [ɑːsk] - fragen
6. at [æt] - bei
7. aunt [ɑːnt] - die Tante
8. beginning [bɪ'gɪnɪŋ] - der Anfang
9. better ['betə] - besser
10. bland (about an illness) [blænd] - mild
11. breathe [briːð] - atmen
12. breathing ['briːðɪŋ] - die Atmung
13. bring [brɪŋ] - bringen
14. burn [bɜːn] - brennen
15. card [kɑːd] - die Karte
16. catch a cold [kætʃ ə kəʊld] - sich erkälten
17. checkup, medical exam ['tʃekʌp | 'medɪkəl ɪg'zæm] - die Überprüfung, die medizinische Untersuchung
18. child [tʃaɪld] - das Kind
19. clean [kliːn] - sauber
20. complain [kəm'pleɪn] - sich beschweren
21. complaint [kəm'pleɪnt] - die Beschwerde
22. crosswalk ['krɔswɔːk] - der Zebrastreifen
23. deep [diːp] - tief
24. degree [dɪ'griː] - der Grad
25. diagnosis [ˌdaɪəg'nəʊsɪs] - die Diagnose

26. disease, illness [dɪ'zi:z | 'ɪlnəs] - die Krankheit, die Erkrankung
27. doctor ['dɔktə] - der Arzt/die Ärztin
28. drops [drɔps] - die Tropfen
29. early (in this context) ['ɜ:lɪ] - früh
30. evening ['i:vənɪŋ] - der Abend
31. examine [ɪg'zæmɪn] - untersuchen
32. feel [fi:l] - fühlen
33. form ['fɔ:m] - das Formular
34. get better ['get 'betə] - gesund werden
35. girl [gɜ:l] - das Mädchen
36. hello [hə'ləʊ] - hallo
37. honey ['hʌnɪ] - der Honig
38. hospital, clinic ['hɔspɪtəl | 'klɪnɪk] - das Krankenhaus, die Klinik
39. how many, how much ['haʊ mənɪ | 'haʊ 'mʌtʃ] - wie viel/e
40. inflamed [ɪn'fleɪmd] - entzündet
41. information [ˌɪnfə'meɪʃən] - die Information
42. lemon ['lemən] - die Zitrone
43. let's [lets] - lass(t) uns
44. lie down [laɪ daʊn] - sich hinlegen
45. listen ['lɪsən] - hören, zuhören
46. me, to me [mi: | tə mi:] - mir, zu mir
47. measure ['meʒə] - messen
48. mixture ['mɪkstʃə] - die Mixtur
49. Monday ['mʌndeɪ] - der Montag
50. name ['neɪm] - der Name, nennen
51. needed ['ni:dɪd] - gebraucht
52. nose [nəʊz] - die Nase
53. nowhere ['nəʊweə] - nirgendwo
54. nurse [nɜ:s] - die Krankenschwester
55. open ['əʊpən] - öffnen
56. pain [peɪn] - der Schmerz
57. pediatrician [ˌpi:dɪə'trɪʃən] - der Kinderarzt
58. perhaps [pə'hæps] - vielleicht
59. phonendoscope [fə'nɛndəˌskəʊp] - das Stethoskop

60. prescribe (medicine) [prɪ'skraɪb] - verschreiben (Medikamente)
61. prescription [prɪ'skrɪpʃən] - das Rezept (für ein Medikament)
62. raise [reɪz] - heben
63. receive [rɪ'siːv] - bekommen, erhalten
64. redness ['rednɪs] - die Rötung
65. right away [raɪt ə'weɪ] - sofort
66. right, to the right [raɪt | tə ðə raɪt] - rechts, nach rechts
67. runny nose ['rʌnɪ nəʊz] - laufende Nase
68. say Hello ['seɪ hə'ləʊ] - Hallo sagen
69. say good bye ['seɪ gʊd baɪ] - Auf Wiedersehen sagen, sich verabschieden
70. sick leave, medical leave [sɪk liːv | 'medɪkəl liːv] - die Krankschreibung
71. smile [smaɪl] - lächeln
72. sneeze [sniːz] - niesen
73. stage [steɪdʒ] - die Bühne
74. straight [streɪt] - gerade
75. surname, last name ['sɜːneɪm | lɑːst 'neɪm] - der Nachname
76. swallowing ['swɔləʊɪŋ] - schlucken
77. temperature ['temprətʃə] - die Temperatur
78. that [ðæt] - das
79. the way one feels (health) [ðə 'weɪ wʌn fiːlz] - sich fühlen (Gesundheit)
80. thermometer [θə'mɔmɪtə] - das Thermometer
81. throat [θrəʊt] - der Hals
82. time, times ['taɪm | 'taɪmz] - die Zeit, die Zeiten
83. tonsil ['tɔnsɪl] - die Mandeln
84. treatment ['triːtmənt] - die Behandlung
85. turn [tɜːn] - abbiegen (in diesem Zusammenhang)
86. turn [tɜːn] - drehen/abbiegen
87. turn to [tɜːn tuː] - sich an etw./jmd. wenden, sich umdrehen
88. warn [wɔːn] - warnen
89. what ['wɔt] - was
90. where [weə] - wo

91. wide [waɪd] - weit
92. windy ['wɪndɪ] - windig
93. wish [wɪʃ] - wünschen
94. yes [jes] - ja
95. yesterday ['jestədɪ] – gestern
96. your, yours [jə | jɔːz] - dein/deine/deins

It's Monday today. It's seven o'clock in the morning. The weather is warm and windy. Children are getting ready for school. Lena gets dressed to go to the kindergarten. She sneezes loudly. Mother looks at her attentively. Lena

Heute ist Montag. Es ist sieben Uhr morgens. Das Wetter ist warm und windig. Die Kinder machen sich für die Schule fertig. Lena zieht sich an um in den Kindergarten zu gehen. Sie niest laut. Mutter schaut sie aufmerksam an. Lena niest

sneezes two more times.
Mother takes her by the hand.
"Lena, you are sneezing a lot today. How do you feel?" Mother asks.
"I don't know," Daughter answers and lies on the sofa.
Mother brings the thermometer.
"We'll measure your temperature now," Mother says.
In five minutes, Mother looks at the thermometer.
"37 degrees," she says. "The temperature is not high, but it's better if we go to the doctor today."
When Father and sons get out of the house, Mother starts getting Lena ready for the clinic. Lena sneezes some more. The children's clinic is not far away, on the neighboring street. Mother holds Lena's hand. They cross the road and walk along the sidewalk to the crosswalk. Then they turn right and pass

noch zwei Mal. Mutter nimmt sie bei der Hand.
„Lena, du niest heute sehr viel. Wie fühlst du dich?" fragt Mutter.
„Ich weiß nicht," antwortet Tochter und legt sich auf das Sofa. Mutter bringt das Thermometer.
„Wir werden jetzt deine Temperatur messen," sagt Mutter.
Nach fünf Minuten guckt Mutter auf das Thermometer.
„37 Grad," sagt sie. „Deine Temperatur ist nicht hoch, aber es ist besser wenn wir heute zum Arzt gehen."
Als Vater und die Söhne das Haus verlassen, fängt Mutter an Lena für die Klinik fertig zu machen. Lena niest noch etwas mehr. Die Kinderklinik ist nicht weit weg, in der Nachbarsstraße. Mutter hält Lenas Hand. Sie überqueren die Straße und gehen auf dem Bürgersteig zum Zebrastreifen. Dann biegen sie rechts ab und

by the supermarket. The neighboring street on which the clinic is located starts behind the supermarket.

Mother and Daughter enter the clinic. They walk to the registration desk.

"Good morning. In which office does the pediatrician accept patients today?" mother asks.

"The pediatrician accepts patients in the office number eight. Say your surname, first name, and the child's age. The nurse will bring your medical record to the doctor's office," the registration table clerk says.

Mother states Daughter's name, surname, and age. Then she takes Lena to the pediatrician. There is a short line at the office. Mother and Lena sit on the chairs beside the office and wait. Their turn comes in half an hour. They enter the office.

gehen am Supermarkt vorbei. Die Nachbarsstraße, auf der die Klinik sich befindet, fängt hinter dem Supermarkt an.

Mutter und Tochter betreten die Klinik. Sie gehen zur Meldestelle.

„Guten Morgen. In welcher Praxis empfängt der Kinderarzt heute Patienten?" fragt Mutter.

„Der Kinderarzt empfängt Patienten in der Praxis Nummer acht. Sagen Sie Ihren Nachnamen, Vornamen und das Alter des Kindes. Die Krankenschwester wird Ihre Krankenakte zur Arztpraxis bringen," sagt der Angestellte der Meldestelle.

Mutter nennt den Namen der Tochter, Nachnamen und Alter. Dann nimmt sie Lena mit zum Kinderarzt. Mutter und Lena sitzen auf Stühlen neben der Praxis und warten. Sie sind nach einer halben Stunde dran. Sie betreten die Praxis.

"Good morning," says Mother. "Hello, aunt doctor," says Lena.
"Good morning," smiles the doctor. "And who got sick?"
"What complaints do you have?" she turns to Mother.
"Lena started sneezing often in the morning. Perhaps she caught a cold. Our whole family was in the zoo yesterday and the kids ate ice cream," mother answers.
"Have you measured her temperature?" the doctor asks.
"Yes, her temperature is 37 degrees," Mother says.
"Let me listen to her breathing," asks the doctor. "Lena, come here."

„Guten Morgen," sagt Mutter.
„Hallo, Tante Arzt," sagt Lena.
„Guten Morgen," lächelt die Ärztin. „Und wer ist krank?"
„Welche Beschwerden haben Sie?" wendet sie sich an Mutter.
„Lena hat angefangen morgens oft zu niesen. Vielleicht hat sie sich erkältet. Unsere ganze Familie war gestern im Zoo und die Kinder haben Eis gegessen," antwortet Mutter.
„Haben Sie ihre Temperatur gemessen?" fragt die Ärztin.
„Ja, ihre Temperatur ist 37 Grad," sagt Mutter.
„Lassen Sie mich ihre Atmung hören," fragt die Ärztin. „Lena, komm her."

Lena approaches the doctor. The doctor listens to her breathing with the help of phonendoscope.
"Breathe deeply," the doctor says and listens to Lena.

Lena näherst sich der Ärztin. Die Ärztin hört sich ihre Atmung mithilfe eines Stethoskops an.
„Atme tief durch," sagt die Ärztin und hört sich Lena an.

Then the doctor asks Lena to open her mouth wide and looks at her throat.
"Does your throat hurt?" she asks.
"It burns a little when I swallow," Lena answers.
"There is slight redness," the doctor announces. "Tonsils are a bit inflamed. This is the early stage of an acute respiratory disease. Your daughter's breathing is clear.

Dann bittet die Ärztin Lena ihren Mund weit aufzumachen und schaut ihren Hals an.
„Tut dein Hals weh?" fragt sie.
„Es brennt ein bisschen wenn ich schlucke," antwortet Lena.
„Es gibt eine leichte Rötung," verkündet die Ärztin.
„Die Mandeln sind ein bisschen entzündet. Dies ist das frühe Stadium einer akuten Atemwegserkrankung. Die Atmung Ihrer Tochter ist klar.

The temperature may rise a bit by the evening," the doctor warns. "It's good that you brought her for examination right away. This bland illness can be cured fast. Don't take her to kindergarten yet. Do you need a sick leave?"
"No, I don't need a sick leave, I am a housewife," Mother answers.

Die Temperatur kann bis zum Abend etwas steigen," warnt die Ärztin. „Es ist gut, dass Sie sie sofort zur Untersuchung gebracht haben. Diese milde Erkrankung kann schnell geheilt werden. Bringen Sie sie noch nicht in den Kindergarten. Brauchen Sie einen Attest?"
„Nein, ich brauche keinen Attest, ich bin eine Hausfrau," antwortet Mutter.

The doctor writes the information about the illness and treatment into the medical record. Then she takes a prescription form and prescribes some medicine to Lena.

Der Arzt schreibt die Information über die Krankheit und Behandlung in die Krankenakte. Dann nimmt sie ein Rezept und verschreibt Lena ein paar Medikamente. „Ich verschreibe Ihrer Tochter

“I prescribe a throat mixture and nose drops for your daughter,” the pediatrician says. “Also give her warm tea with lemon and honey often. Come for a checkup in three days.”

eine Halsmixtur und Nasentropfen,“ sagt die Kinderärztin. „Geben Sie ihr auch oft warmen Tee mit Zitrone und Honig. Kommen Sie für eine Überprüfung in drei Tagen wieder.“

“Thank you,” Mother says and takes the prescription.

„Danke,“ sagt Mutter und nimmt das Rezept.

“Thank you, doctor,” Lena says.

„Danke, Ärztin,“ sagt Lena.

“Get better, Lena,” the doctor smiles. “All the best to you. I am expecting you to come in three days.”

„Gute Besserung, Lena,“ lächelt die Ärztin. „Alles Gute für dich. Ich erwarte, dass du in drei Tagen kommst.“

“Good bye,” Mother says.

„Auf Wiedersehen,“ sagt Mutter.

Questions and answers

Fragen und Antworten

- Where are children getting ready to go on Monday morning?

- Am Montagmorgen machen sich die Kinder fertig um wohin zu gehen?

- Children are getting ready for school.

- Die Kinder machen sich fertig für die Schule.

- Is Lena getting ready for school as well?

- Macht Lena sich auch für die Schule fertig?

- No, she is getting dressed to go to kindergarten.

- Nein, sie zieht sich an um in den Kindergarten zu gehen.

- What is going on with Lena?

- Was ist mit Lena los?

- She sneezes loudly.
- What does Mother bring?
- Mother brings a thermometer.
- What temperature does the daughter have?
- 37 degrees.
- Is it a high temperature?
- No, it's not a high temperature.
- What does mother decide to do?
- Mother decides that it's better to go to the doctor today.
- Does Father drive Lena to the clinic?
- No, Mother starts getting Lena ready when father and sons get out of the house.
- Where is the children's clinic located?
- It is nearby, on the neighboring street.
- Do Mother and Lena go there by bus?
- No, they walk there.
- Do they cross the road?
- Yes, they cross the road and walk on the sidewalk toward the crosswalk.

- Sie niest laut.
- Was bringt Mutter?
- Mutter bringt ein Thermometer.
- Welche Temperatur hat die Tochter?
- 37 Grad.
- Ist das eine hohe Temperatur?
- Nein, das ist keine hohe Temperatur.
- Was entscheidet Mutter zu tun?
- Mutter entscheidet, dass es besser ist heute zum Arzt zu gehen.
- Fährt Vater Lena zur Klinik?
- Nein, Mutter fängt an Lena fertig zu machen als Vater und die Söhne das Haus verlassen.
- Wo befindet sich die Kinderklinik?
- Sie ist in der Nähe, in einer Nachbarstraße.
- Fahren Mutter und Lena dort mit dem Bus hin?
- Nein, sie gehen zu Fuß.
- Überqueren sie die Straße?
- Ja, sie überqueren die Straße und gehen auf dem Bürgersteig zum Zebrastreifen.

- Do they walk straight and turn nowhere?
- No, they do turn right.
- What do they pass by?
- They pass by the supermarket.
- Where do Mother and Daughter enter?
- They enter the clinic.
- What does Mother ask at the registration desk?
- She asks in which office the pediatrician receives patients today.
- What does the registration desk clerk ask?
- The registration desk clerk asks to provide the child's name, surname, and age.
- Does Mother take the medical record?
- No, the nurse will bring the record to the doctor.
- What do mother and Lena do near the office?
- They sit on the chairs near the office and wait their turn.
- How long do they wait?
- They wait for half an hour.
- What do Mother and Lena say when they walk into the

- Gehen sie geradeaus und biegen nirgendwo hin ab?
- Nein, sie biegen rechts ab.
- Wo kommen sie vorbei?
- Sie kommen am Supermarkt vorbei.
- Was betreten Mutter und Tochter?
- Sie betreten die Klinik.
- Was fragt Mutter an der Meldestelle?
- Sie fragt in welcher Praxis der Kinderarzt heute Patienten empfängt.
- Was fragt der Angestellte der Meldestelle?
- Der Angestellte der Meldestelle fragt nach dem Namen, Nachnamen und Alter des Kindes.
- Nimmt Mutter die Krankenakte?
- Nein, die Krankenschwester wird die Akte zum Arzt bringen.
- Was machen Mutter und Lena in der Nähe der Praxis?
- Sie sitzen auf Stühlen in der Nähe der Praxis und warten bis sie dran sind.
- Wie lange warten sie?

doctor's office?
- They say "Hello".
- What does the doctor ask Mother?
- The doctor asks Mother about how Daughter feels.
- What does Mother complain about?
- She complains that Daughter sneezes often.
- How does the doctor listen to Lena's breathing?
- The doctor listens to Lena's breathing with a phonendoscope.
- What does the doctor examine?
- She asks Lena to open her mouth wide and examines her throat.
- Does Lena complain about pain in her throat?
- She says that her throat burns a little when she swallows.
- What diagnosis does the doctor make?
- The doctor diagnoses the beginning stage of an acute respiratory disease.
- What does Lena have

- Sie warten eine halbe Stunde.
- Was sagen Mutter und Lena wenn sie in die Arztpraxis gehen?
- Sie sagen „Hallo".
- Wonach fragt die Ärztin Mutter?
- Die Ärztin fragt Mutter wie sich die Tochter fühlt.
- Worüber beklagt sich Mutter?
- Mutter beklagt sich darüber, dass die Tochter oft niest.
- Wie hört sich die Ärztin Lenas Atmung an?
- Die Ärztin hört sich Lenas Atmung mit einem Stethoskop an.
- Was untersucht die Ärztin?
- Sie bittet Lena ihren Mund weit aufzumachen und untersucht ihren Hals.
- Beschwert sich Lena über Schmerzen in ihrem Hals?
- Sie sagt, dass ihr Hals ein bisschen brennt wenn sie schluckt.
- Welche Diagnose macht die Ärztin?
- Die Ärztin diagnostiziert das Anfangsstadium einer akuten Atemwegserkrankung.

inflamed?
- Lena's tonsils are slightly inflamed.
- How is Lena's breathing?
- Lena's breathing is clear.
- What does the doctor warn about?
- The doctor warns that the temperature may rise by the evening.
- Does the doctor allow taking Lena to kindergarten?
- No, she doesn't.
- Does the doctor give mother sick leave?
- No, Mother doesn't need sick leave because she is a housewife.
- What does the doctor write in the medical record?
- She writes down the information about the illness and treatment.
- Where does the doctor write down the prescription?
- In the prescription form.
- Which medicines does the doctor prescribe?
- She prescribed a throat mixture and nose drops for the runny nose.
- What does the doctor advice

- Was ist bei Lena entzündet?
- Lenas Mandeln sind leicht entzündet.
- Wie ist Lenas Atmung?
- Lenas Atmung ist klar.
- Wovor warnt die Ärztin?
- Die Ärztin warnt davor, dass die Temperatur bis zum Abend steigen kann.
- Erlaubt die Ärztin Lena in den Kindergarten zu bringen?
- Nein, tut sie nicht.
- Schreibt die Ärztin Mutter krank?
- Nein, Mutter braucht keine Krankschreibung, weil sie eine Hausfrau ist.
- Was schreibt die Ärztin in die Krankenakte?
- Sie schreibt Informationen über die Krankheit und die Behandlung auf.
- Wo schreibt die Ärztin das Rezept auf?
- Auf dem Rezept-Formular.
- Welches Medikament verschreibt die Ärztin?
- Sie verschreibt eine Hals Mixtur und Nasentropfen für die laufende Nase.
- Welchen Rat gibt die Ärztin

giving to Lena?	Lena?
- The doctor advises to give her warm tea with lemon and honey.	- Die Ärztin rät ihr warmen Tee mit Zitrone und Honig zu geben.
- In how many days does Lena have to come for a checkup again?	- Nach wie vielen Tagen muss Lena für eine Überprüfung wiederkommen?
- In three days.	- In drei Tagen.
- What does the doctor wish Lena when they say "Good Bye"?	- Was wünscht die Ärztin Lena wenn sie „auf Wiedersehen" sagen?
- The doctor wishes her to get better.	- Die Ärztin wünscht ihr gute Besserung.
- Does Lena thank the doctor?	- Dankt Lena der Ärztin?
- Yes, Lena and Mother say "Thank you" to the doctor.	- Ja, Lena und Mutter sagen „Danke" zu der Ärztin.

I found some mushrooms!

Ich habe ein paar Pilze gefunden!

Words

Vokabeln

1. acceleration [əkˌseləˈreɪʃən] - die Beschleunigung
2. amanita [ˌæməˈnaɪtə] - der Fliegenpilz
3. bark [bɑːk] - bellen
4. bathe [beɪð] - baden
5. be called [bɪ kɔːld] - gerufen warden, heißen, sich nennen
6. be in a hurry [bɪ ɪn ə ˈhʌrɪ] - in Eile sein
7. beach [biːtʃ] - der Strand
8. beg [beg] - betteln
9. bonus [ˈbəʊnəs] - der Bonus
10. bottle [ˈbɔtəl] - die Flasche
11. break [breɪk] - die Pause
12. cap (of the mushroom) [kæp] - die Kappe (von einem Pilz)
13. catch [kætʃ] - fangen
14. cheese [tʃiːz] - der Käse
15. compote, stewed fruit [ˈkɔmpɔt | stjuːd fruːt] - der Kompott
16. consist of [kənˈsɪst ɔv] - aus etwas bestehen
17. cool [kuːl] - kühl
18. cry [kraɪ] - weinen
19. cut [kʌt] - schneiden
20. dog [dɔg] - der Hund
21. dot [dɔt] - der Fleck
22. dry [draɪ] - trocknen
23. edible [ˈedɪbəl] - essbar
24. equipment [ɪˈkwɪpmənt] - die Ausrüstung
25. fall [fɔːl] - fallen
26. fill up [fɪl ʌp] - auffüllen
27. find [faɪnd] - finden
28. fine [faɪn] - gut
29. fly [flaɪ] - fliegen
30. folding [ˈfəʊldɪŋ] - falten
31. food [fuːd] - das Essen
32. forest [ˈfɔrɪst] - der Wald

33. get scared ['get skeəd] - Angst bekommen
34. glass ['glɑːs] - das Glas
35. go [gəʊ] - gehen
36. goes [gəʊz] - geht
37. good job [gʊd dʒɔb] - gut gemacht (in diesem Zusammenhang)
38. grow dark [grəʊ dɑːk] - dunkel werden
39. her [hə] - ihr/ihre/sich
40. here [hɪə] - hier
41. hundred ['hʌndrəd] - hundert
42. in the morning [ɪn ðə 'mɔːnɪŋ] - am Morgen
43. inflatable [ɪn'fleɪtəbəl] - aufblasbar
44. inflate [ɪn'fleɪt] - aufblasen
45. it's time [ɪts 'taɪm] - es ist Zeit
46. joyful ['dʒɔɪfəl] - freudig
47. jump out [dʒʌmp 'aʊt] - herausspringen
48. lemonade [ˌlemə'neɪd] - die Limonade
49. look [lʊk] - schauen, sehen
50. mattress ['mætrɪs] - die Matratze
51. mind, object [maɪnd | tʊ əb'dʒekt] - widersprechen
52. more, also [mɔː | 'ɔːlsəʊ] - mehr, auch
53. mushroom ['mʌʃrʊm] - der Pilz
54. nature ['neɪtʃə] - die Natur
55. necessary, needed ['nesəsərɪ | 'niːdɪd] - notendig, nötig
56. needed ['niːdɪd] - gebraucht
57. package ['pækɪdʒ] - das Paket
58. pick (mushrooms), collect (something), gather [pɪk | kə'lekt | 'gæðə] - sammeln (Pilze), pflücken
59. picnic ['pɪknɪk] - das Picknick
60. plastic ['plæstɪk] - das Plastik
61. poisonous ['pɔɪzənəs] - giftig
62. pour [pɔː] - einschenken (Getränk)
63. reach for (something) [riːtʃ fə 'sʌmθɪŋ] - nach etwas greifen
64. really ['rɪəlɪ] - wirklich
65. red [red] - rot
66. rest, relaxation [rest | ˌriːlæk'seɪʃən] - die Pause, die Entspannung
67. right [raɪt] - recht

68. river ['rɪvə] - der Fluss
69. Saturday ['sætədeɪ] - der Samstag
70. sausage ['sɔsɪdʒ] - die Wurst
71. scare, fright [skeə | fraɪt] - vor Angst
72. self [self] - selbst
73. set [set] - setzen, stellen
74. shake off [ʃeɪk ɔf] - etw. abschütteln
75. shout, yell [ʃaʊt | jel] - rufen, schreien
76. side [saɪd] - die Seite
77. since [sɪns] - seit
78. sit [sɪt] - sitzen
79. situate oneself ['sɪtʃʊeɪt wʌn'self] - sich legen
80. slippery jacks ['slɪpərɪ dʒæks] - der Butterpilz
81. so ['səʊ] - so
82. spatter, splashes ['spætə | 'splæʃɪz] - der Spritzer
83. special ['speʃəl] - speziell
84. sun [sʌn] - die Sonne
85. support [sə'pɔːt] - unterstützen
86. teach [tiːtʃ] - beibringen
87. these [ðiːz] - diese
88. thing ['θɪŋ] - das Ding
89. to whom [tə huːm] - die, den, dem
90. tomorrow [tə'mɔrəʊ] - der Morgen
91. touch [tʌtʃ] - berühren
92. trunk [trʌŋk] - der Kofferraum
93. wet [wet] - nass
94. where from [weə frɔm] - von wo
95. who, whom [huː | huːm] – wer
96. windless ['wɪndləs] – windstill

Christian was issued a bonus at work. He calls Anna during his lunch break.
“It’s Saturday tomorrow, and we all will go to relax out in the bush,” he says to Wife on the phone. “Prepare all the

Christian wurde bei der Arbeit ein Bonus ausgestellt. Er ruft Anna während seiner Mittagspause an.
„Morgen ist Samstag, und wir werden alle aufs Land gehen um zu entspannen,“ sagt er zu

necessary things. Also, we will be picking mushrooms in the forest. Take some baskets for the mushrooms." Anna takes a backpack and puts large towels and beach clothes into the backpack. She also puts an inflatable mattress into the backpack. Anna gets two mushroom baskets from the cupboard.

seiner Frau am Telefon. „Bereite alle notwendigen Dinge vor. Außerdem werden wir im Wald Pilze sammeln. Nimm ein paar Körbe für die Pilze mit." Anna nimmt einen Rucksack und packt zwei große Handtücher und Strandkleidung in den Rucksack. Sie packt auch eine aufblasbare Matratze in den Rucksack. Anna holt zwei Pilzkörbe aus dem Schrank.

The next day in the morning the entire family gets into the car and goes to relax in the countryside. They also take a dog along. The weather is warm, sunny, and windless.

Am Morgen des nächsten Tages steigt die ganze Familie ins Auto und fährt aufs Land zum Entspannen. Sie nehmen auch den Hund mit. Das Wetter ist warm, sonnig und windstill.

The car is on the road that goes along the forest. There are many different trees in the forest. They are very tall and beautiful. Then the car turns onto the forest road and stops at the meadow. It is cool in the forest.

"There should be lots of mushrooms in this forest," says Father.

"Alex and Lena, if you find any mushrooms, call me and Father," says Mother. "Don't touch mushrooms with your hands until we see them."

"Why can't we touch them?" Alex asks.

Das Auto ist auf der Straße, die am Wald entlang geht. Es gibt viele verschiedene Bäume im Wald. Sie sind sehr groß und schön. Dann biegt das Auto auf die Waldstraße ab und hält an der Wiese an. Es ist kühl im Wald.

„Es sollte in diesem Wald viele Pilze geben," sagt Vater.

„Alex und Lena, wenn ihr irgendwelche Pilze findet, ruft mich und Vater," sagt Mutter.

„Berührt die Pilze nicht mit der Hand bis wir sie sehen."

„Warum können wir sie nicht berühren?" fragt Alex.

„Weil nicht alle Pilze essbar

"Because not all the mushrooms are edible," Father explains. "There are also many poisonous mushrooms in the forest."

"But we know what amanita looks like," objects their son.

"There are many other dangerous mushrooms besides amanita," his older brother, Michael, explains.

sind," erklärt Vater. „Es gibt auch viele giftige Pilze in dem Wald."

„Aber wir wissen wie ein Fliegenpilz aussieht," widerspricht ihr Sohn.

„Es gibt viele andere gefährliche Pilze außer dem Fliegenpilz," erklärt sein älterer Bruder Michael.

Everybody gets out of the car, the dog Arnold runs around the meadow. Mother and Father take the baskets. They

Alle steigen aus dem Auto, der Hund Arnold läuft um die Wiese. Mutter und Vater nehmen die Körbe. Sie gehen

walk among the trees and look for mushrooms.
"Mother, father, come here!" shouts Lena. "I found some mushrooms! They are so beautiful!"
Parents approach Lena. Lena shows mushrooms to her parents.
"Good job, Lena. You found very good mushrooms, they are called cepes," father says. He picks them and puts them into the basket.
"I've also found some! Come here! There are so many!" Alex yells.
Mother hurries to him.
"And you, Alex, found mushrooms that are called 'slippery jack'," she says and puts them into the basket.
"Look, here are some real amanitas!" Michael calls everyone. "They have red caps with white dots! They are poisonous. These mushrooms shouldn't be picked.
There are really lots of mushrooms in the forest. When the baskets are full,

unter den Bäumen und suchen nach Pilzen.
„Mutter, Vater, kommt her!" ruft Lena. „Ich habe ein paar Pilze gefunden! Sie sind so schön!"
Die Eltern nähern sich Lena. Lena zeigt ihren Eltern die Pilze.
„Gut gemacht, Lena. Du hast sehr gute Pilze gefunden, sie heißen Steinpilze," sagt Vater. Er nimmt sie und legt sie in den Korb.
„Ich hab auch welche gefunden! Kommt her! Es gibt so viele!" schreit Alex.
Mutter eilt zu ihm.
„Und du, Alex, hast Pilze gefunden, die Butterpilz heißen," sagt sie und legt sie in den Korb.
„Schaut, hier sind ein paar echte Fliegenpilze!" ruft Michael allen zu. „Sie haben rote Kappen mit weißen Punkten! Sie sind giftig. Diese Pilze sollten nicht gesammelt werden."
Es gibt wirklich viele Pilze im Wald. Als die Körbe voll sind,

parents put them into the trunk of the car. Then the family goes to the river. The dog Arnold jumps out of the car first. He starts barking and running joyfully along the river bank. Then the children get out of the car and run to the river. Short trees and bushes grow near the river. Also, some grass grows on the river bank.

tun die Eltern sie in den Kofferraum des Autos. Dann fährt die Familie zum Fluss. Der Hund Arnold springt als erstes aus dem Auto. Er fängt an zu bellen und läuft freudig am Flussufer entlang. Dann steigen die Kinder aus dem Auto und laufen zum Fluss. Kleine Bäume und Büsche wachsen in der Nähe des Flusses.

The water in the river is clean and cool. Brother Michael and Alex can swim. Their younger sister Lena doesn't know how

Das Wasser im Fluss ist sauber und kühl. Die Brüder Michael und Alex können schwimmen. Ihre jüngere Schwester Lena

to swim. Michael inflates a mattress for her. Brothers sit Lena on the mattress and ride her on the water. Lena laughs. "Arnold, come to us!" Lena calls the dog. Accelerating, Arnold runs into the water and swims to the children. Father takes the ball and also goes into the water to his kids. They start playing with the ball.	weiß nicht wie man schwimmt. Michael bläst eine Matratze für sie auf. Die Brüder setzen Lena auf die Matratze und fahren sie auf dem Wasser. Lena lacht. „Arnold, komm zu uns!" Lena ruft den Hund. Schneller werdend, läuft Arnold ins Wasser uns schwimmt zu den Kindern. Vater nimmt den Ball und geht auch ins Wasser zu seinen Kindern. Sie fangen an mit dem Ball zu spielen.
Alex throws the ball to the dog. Arnold swims and pushes the ball with his nose. Lena reaches for the ball from the mattress and falls into the water. She is completely drenched, but Father takes her out of the water right away. Lena gets scared, but she doesn't cry.	Alex wirft den Ball zum Hund. Arnold schwimmt und schiebt den Ball mit seiner Nase. Lena greift nach dem Ball von der Matratze aus und fällt ins Wasser. Sie ist komplett durchnässt, aber Vater nimmt sie sofort aus dem Wasser. Lena bekommt Angst, aber sie weint nicht.
Father carries Daughter to the shore, and Mother dries her with a towel. Lena and Mother sunbathe on the river bank, and Father and sons play with the ball in the water. They throw the ball to each other. The dog also tries to catch the	Vater trägt Lena zum Ufer, und Mutter trocknet sie mit einem Handtuch. Lena und Mutter sonnenbaden am Flussufer und Vater und Sohn spielen mit dem Ball im Wasser. Sie werfen den Ball einander zu. Der Hund

ball. Brother and Father come out on the shore. The dog also comes out of the water. Mother gives big towels to Father, Michael, and Alex. They take the towels and dry themselves. Arnold doesn't need a towel. He starts shaking the water off himself. The splashes fly in different directions. Everyone laughs. "I am thirsty," Alex says. "Do we have any lemonade?" "No, we didn't bring any lemonade," Mother says. "We have compote." Mother takes a bottle and plastic cups out of the bag and pours compote for everybody. The dog is also thirsty. Arnold drinks water from the river. Children park themselves on the shore and sunbathe. Arnold also lies down in the sun, but he doesn't sunbathe. His fur is wet, and he is drying it.

versucht auch den Ball zu fangen. Bruder und Vater kommen raus ans Ufer. Der Hund kommt auch aus dem Wasser. Mutter gibt Vater, Michael und Alex große Handtücher. Sie nehmen die Handtücher und trocknen sich. Arnold braucht kein Handtuch. Er fängt an das Wasser abzuschütteln. Die Spritzer fliegen in verschiedene Richtungen. Alle lachen. „Ich habe Durst," sagt Alex. „Haben wir Limonade?" „Nein, wir haben keine Limonade mitgebracht," sagt Mutter. „Wir haben Kompott." Mutter nimmt eine Flasche und Plastikbecher aus dem Beutel und gießt jedem Kompott ein. Der Hund ist auch durstig. Arnold trinkt Wasser vom Fluss. Die Kinder legen sich ans Ufer und sonnen sich. Arnold legt sich auch in die Sonne, aber er sonnt sich nicht. Sein Fell ist nass und er trocknet es.

While children are taking sun baths, Father gets the picnic equipment from the car. He sets the folding table and chairs on the meadow. Mother makes sandwiches with sausages and cheese. Then everyone sits at the table and eats. Arnold is also hungry. He runs around the table and begs for a sausage. Father gives Arnold some special dog food.
After lunch, everyone swims and sunbathes again. Michael teaches his younger sister Lena to swim.

Während die Kinder sich sonnen, holt Vater die Picknickausrüstung aus dem Auto. Er stellt den Klapptisch und die Stühle auf die Wiese. Mutter macht Sandwiches mit Wurst und Käse.
Dann setzen sich alle an den Tisch und essen. Arnold hat auch Hunger. Er läuft um den Tisch herum und bettelt um eine Wurst. Vater gibt Arnold spezielles Hundefutter.
Nach dem Mittagessen schwimmen und sonnen sich alle wieder. Michael bringt seiner jüngeren Schwester Lena schwimmen bei.

"Children, it's time to go home!" Father calls his children.
"I don't want to go home; I want to swim more!" Lena shouts. "Father, look, I already know how to swim!"
"I don't want to go home either!" Alex supports Lena.
"Father is right. It is growing dark. Lots of mosquitoes will appear near the river now," Michael says. "You don't want to be bit by mosquitoes, do you?"
"Fine, let's go home," Lena and Alex agree.
Children come to the shore; dry themselves with towels, and change. The dog Arnold is already in the car. While children change their clothes, Mother and Father fold the table and chairs. They put all the things in the car trunk. Then everyone gets in the car and goes home.

„Kinder, es ist Zeit nach Hause zu gehen!" Vater ruft seine Kinder.
„Ich will nicht nach Hause gehen; Ich will noch mehr schwimmen!" ruft Lena. „Vater, schau, Ich weiß schon wie man schwimmt!"
„Ich will auch nicht nach Hause gehen!" Alex unterstützt Lena.
„Vater hat Recht. Es wird dunkel. Viele Moskitos werden jetzt in der Nähe des Flusses auftauchen," sagt Mutter. „Ihr wollt nicht von einem Moskito gestochen werden, oder?"
„Gut, lasst uns nach Hause gehen," stimmen Lena und Alex zu.
Die Kinder kommen ans Ufer; sie trocknen sich mit Handtüchern und ziehen sich um. Der Hund Arnold ist schon im Auto. Während die Kinder sich umziehen, klappen Mutter und Vater den Tisch und die Stühle zusammen. Sie tun alle Dinge in den Kofferraum. Dann steigen alle ins Auto und fahren nach Hause.

Questions and answers

- What did they issue to Christian at work?
- They issued him a bonus.
- Who does Christian call during his lunch break?
- He calls his wife Anna.
- What does Christian tell her?
- He says that tomorrow they will go and relax outdoors.
- What does he ask Anna to do?
- He asks Anna to prepare mushroom baskets and the things necessary for the trip.
- What does Anna put into the backpack?
- She puts big towels and beach clothes into the backpack. She also puts an inflatable mattress into the backpack.
- Where does she get baskets for the mushrooms from?
- From the cupboard.
- Who else does the family

Fragen und Antworten

- Was haben sie Christian bei der Arbeit ausgestellt?
- Sie haben ihm einen Bonus ausgestellt.
- Wen ruft Christian während seiner Mittagspause an?
- Er ruft seine Frau Anna an.
- Was erzählt Christian ihr?
- Er sagt, dass sie morgen aufs Land fahren und entspannen werden.
- Was bittet er Anna zu tun?
- Er bittet sie die Pilzkörbe vorzubereiten und alle Dinge, die für den Ausflug notwendig sind.
- Was legt Anna in den Rucksack?
- Sie packt große Handtücher und Strandkleidung in den Rucksack. Sie packt auch eine aufblasbare Matratze in den Rucksack.
- Wo holt sie die Körbe für die Pilze her?
- Aus dem Schrank.

take for a trip?
- They take the dog.
- Where does the car stop?
- The car stops on the meadow.
- Is it hot in the forest?
- No, it's cool in the forest.
- Why does Mother prohibit children to touch mushrooms with their hands?
- Because there are many poisonous mushrooms in the forest, and children don't know them.
- What does Arnold do?
- Arnold runs around the meadow.
- Who finds the mushrooms first?
- Lena finds the mushrooms first.
- What are the mushrooms she finds called?
- They are called "Cedes".
- Who picks them?
- Father cuts them off and puts them into the basket.
- What kind of mushrooms does Alex find?
- Alex finds "slippery jacks."

- Wen nimmt die Familie noch mit auf den Ausflug?
- Sie nehmen den Hund mit.
- Wo hält das Auto an?
- Das Auto hält auf der Wiese an.
- Ist es heiß im Wald?
- Nein, es ist kühl im Wald.
- Warum verbietet Mutter den Kindern die Pilze mit ihren Händen zu berühren?
- Weil es viele giftige Pilze im Wald gibt und die Kinder sie nicht kennen.
- Was macht Arnold?
- Arnold läuft um die Wiese herum.
- Wer findet zuerst Pilze?
- Lena findet zuerst Pilze.
- Wie heißen die Pilze, die sie gefunden hat?
- Sie heißen Steinpilze.
- Wer pflückt sie?
- Vater schneidet sie ab und legt sie in den Korb.
- Was für eine Art von Pilzen findet Alex?
- Alex findet „Butterpilze".
- Welche Pilze zeigt Michael?

- Which mushrooms does Michael show?
- He shows real amanitas.
- How do amanitas look?
- They have red caps with white spots.
- Are they poisonous?
- Yes, they are poisonous. One cannot pick these mushrooms.
- Where does the family go next?
- The family goes to the river.
- Who get out of the car first?
- The dog Arnold jumps out of the car first.
- Does Arnold run to swim?
- No, he runs on the shore and barks.
- Who can swim?
- Brothers Michael and Alex know how to swim.
- Does younger sister Lena know how to swim as well?
- No, she cannot swim.
- What does Michael do for Lena?
- Michael inflates an air mattress for her.

- Er zeigt echte Fliegenpilze.
- Wie sehen Fliegenpilze aus?
- Sie haben rote Kappen mit weißen Flecken.
- Sind sie giftig?
- Ja, sie sind giftig. Man kann diese Pilze nicht pflücken.
- Wo geht die Familie als nächstes hin?
- Die Familie geht zum Fluss.
- Wer steigt als erstes aus dem Auto?
- Der Hund Arnold springt als erstes aus dem Auto.
- Läuft Arnold um zu schwimmen?
- Nein, er läuft auf dem Ufer und bellt.
- Wer kann schwimmen?
- Die Brüder Michael und Alex wissen wie man schwimmt.
- Weiß die jüngere Schwester Lena auch wie man schwimmt?
- Nein, sie kann nicht schwimmen.
- Was macht Michael für Lena?
- Michael bläst die Luftmatratze für sie auf.
- Womit fahren die Brüder die

- What do brothers ride Sister on?
- They give Sister a ride on the inflatable mattress.
- Does the dog bathe in the river too?
- Yes, Arnold accelerates, runs into the water, and swims toward the children.
- What do children play with in the water?
- With a ball.
- Does the dog play with the ball too?
- Yes, Arnold swims and pushes the ball forward with his nose.
- Why does Lena fall into the water?
- Because she reaches for the ball from the mattress.
- Who gets Lena out of the water?
- Father gets Lena out of the water right away.
- Does Lena cry in her fright?
- No, she doesn't cry.
- Who dries Lena with a towel?
- Mother rubs her with a towel.

Schwester?
- Sie geben der Schwester eine Fahrt auf der Luftmatratze.
- Badet der Hund auch im Fluss?
- Ja, Arnold beschleunigt, läuft ins Wasser und schwimmt auf die Kinder zu.
- Mit was spielen die Kinder im Wasser?
- Mit einem Ball.
- Spielt der Hund auch mit dem Ball?
- Ja, Arnold schwimmt und schiebt den Ball mit seiner Nase voran.
- Warum fällt Lena ins Wasser?
- Weil sie von der Matratze aus nach dem Ball greift.
- Wer holt Lena aus dem Wasser?
- Vater holt Lena sofort aus dem Wasser.
- Weint Lena vor Angst?
- Nein, sie weint nicht.
- Wer trocknet Lena mit einem Handtuch ab?
- Mutter rubbelt sie mit einem Handtuch.
- Geht Lena wieder schwimmen?
- Nein, Mutter und Lena sonnen sich am Ufer.

- Does Lena go swimming again?
- No, Lena with Mother sunbathes on the shore.
- Do Father and sons sunbathe as well?
- No, they play with the ball in the water.
- What does the dog try to catch?
- The dog tries catching the ball.
- Who does Mother give the towels to?
- She gives big towels to father, Michael, and Alex.
- What do they do with the towels?
- They take the towels and dry themselves.
- Does the dog need the towel to dry off?
- No, Arnold doesn't need a towel. He shakes the water off.
- What drink does mother pour for everybody?
- Mother pours compote.
- What does Arnold drink?
- Arnold drinks water from the river.

- Sonnen sich Vater und die Söhne auch?
- Nein, sie spielen mit dem Ball im Wasser.
- Was versucht der Hund zu fangen?
- Der Hund versucht den Ball zu fangen.
- Wem gibt Mutter die Handtücher?
- Sie gibt Vater, Michael und Alex große Handtücher.
- Was machen sie mit den Handtüchern?
- Sie nehmen die Handtücher und trocknen sich.
- Braucht der Hund ein Handtuch um sich abzutrocknen?
- Nein, Arnold braucht kein Handtuch. Er schüttelt das Wasser ab.
- Was für ein Getränk schenkt Mutter allen ein?
- Mutter schenkt Kompott ein.
- Was trinkt Arnold?
- Arnold trinkt Wasser aus dem Fluss.
- Was machen die Kinder am Ufer?
- Die Kinder sonnen sich.

- What do children do on the shore?
- Children sunbathe.
- Does the dog sunbathe too?
- No, he doesn't sunbathe, but he lies in the sun as well.
- Why does Arnold lie in the sun?
- His fur is wet and he is drying it.
- What does Father get from the car while children take sunbaths?
- Father gets picnic equipment from the car.
- What does this equipment consist of?
- It consists of a table and chairs.
- What food does Mother prepare?
- Mother makes sandwiches with sausage and cheese.
- What does Arnold beg for?
- Arnold runs around the table and begs for sausage.
- Does Father give any sausage to Arnold?
- No, Father gives him some special dog food.
- What does older brother

- Sonnt der Hund sich auch?
- Nein, er sonnt sich nicht, aber er liegt auch in der Sonne.
- Warum liegt Arnold in der Sonne?
- Sein Fell ist nass und er trocknet es.
- Was holt Vater aus dem Auto während die Kinder sich sonnen?
- Vater holt die Picknickausrüstung aus dem Auto.
- Woraus besteht diese Ausrüstung?
- Sie besteht aus einen Tisch und Stühlen.
- Was für Essen bereitet Mutter zu?
- Mutter macht Sandwiches mit Wurst und Käse.
- Worum bettelt Arnold?
- Arnold läuft um den Tisch herum und bettelt um eine Wurst.
- Gibt Vater Arnold Wurst?
- Nein, Vater gibt ihm spezielles Hundefutter.
- Was bringt der ältere Bruder seiner Schwester nach dem Mittagessen bei?

teach Sister after lunch?
- After lunch, Michael teaches younger sister Lena how to swim.
- Why does the family get ready to go home?
- Because it grows darker and there will be lots of mosquitoes near the river.

- Nach dem Mittagessen bringt Michael der jüngeren Schwester Lena bei wie man schwimmt.
- Warum macht sich die Familie bereit um nach Hause zu gehen?
- Weil es dunkel wird und es viele Moskitos in der Nähe des Flusses geben wird.

I'll fix my bike

Ich werde mein Fahrrad reparieren

Words

Vokabeln

1. action, act ['ækʃən | ækt] - die Aktion, der Akt
2. air [eə] - die Luft
3. apply [ə'plaɪ] - anwenden
4. approve [ə'pruːv] - genehmigen, zustimmen
5. back ['bæk] - zurück
6. be happy, be joyful [bɪ 'hæpɪ | bɪ 'dʒɔɪfəl] - glücklich sein, voller Freude sein
7. be in a hurry, be in a rush [bɪ ɪn ə 'hʌrɪ | bɪ ɪn ə rʌʃ] - in Eile sein, es eilig haben
8. be interested (in something) [bɪ 'ɪntrəstɪd ɪn 'sʌmθɪŋ] - (an etwas) interessiert sein
9. be surprised [bɪ sə'praɪzd] - überrascht sein
10. bend [bend] - biegen
11. blouse [blaʊz] - die Bluse
12. box [bɔks] - die Box
13. boy [ˌbɔɪ] - der Junge
14. break [breɪk] - brechen, kaputt machen
15. broken, damaged ['brəʊkən | 'dæmɪdʒd] - kaputt
16. bubbles ['bʌbəlz] - die Blasen
17. button ['bʌtən] - der Knopf
18. buttonhole ['bʌtənhəʊl] - das Knopfloch
19. camera ['kæmərə] - die Kamera
20. carefully ['keəfəlɪ] - vorsichtig
21. casing ['keɪsɪŋ] - der Mantel (vom Fahrrad)
22. change [tʃeɪndʒ] - ändern, wechseln
23. choose [tʃuːz] - wählen
24. completely [kəm'pliːtlɪ] - komplett
25. continue [kən'tɪnjuː] - weitermachen
26. cut [kʌt] - schneiden

27. cut off [kʌt ɔf] - abschneiden
28. cut out [kʌt 'aʊt] - ausschneiden
29. damage ['dæmɪdʒ] - der Schaden
30. damaged ['dæmɪdʒd] - beschädigt
31. detangle [də'tæŋ gəl] - entwirren
32. determine [dɪ'tɜːmɪn] - bestimmen
33. difficult ['dɪfɪkəlt] - schwierig
34. do one's bst [də wʌnz ˌbiːˌes'tiː] - sein bestes geben
35. do, make [duː | 'meɪk] - machen, tun
36. dry [draɪ] - trocken
37. ear [ɪə] - das Ohr
38. easier ['iːzɪə] - leichter
39. easy, simple ['iːzɪ | 'sɪmpəl] - einfach
40. even ['iːvən] - sogar, gleich
41. fall [fɔːl] - fallen
42. fall off, tear off [fɔːl ɔf | teər ɔf] - abfallen, abreißen
43. fan-fold [fæn fəʊld] - das Faltpapier
44. fastening ['fɑːsənɪŋ] - die Befestigung
45. Father ['fɑːðə] - der Vater
46. feminine, women's ['femənɪn | 'wɪmɪnz] - feminine, für Frauen
47. figure ['fɪgə] - die Figur
48. finally ['faɪnəlɪ] - endlich
49. finish ['fɪnɪʃ] - beenden
50. fixate [fɪk'seɪt] - fixieren
51. fold [fəʊld] - die Falte, falten
52. frog [frɔg] - der Frosch
53. from the inside [frəm ðɪ ɪn'saɪd] - von innen
54. get lost, disappear ['get lɔst | ˌdɪsə'pɪə] - verloren gehen, verschwinden
55. get tangled up ['get 'tæŋgəld ʌp] - sich verheddern
56. get wet ['get wet] - nass werden
57. glue [gluː] - kleben, der Kleber
58. grab [græb] - nehmen, greifen
59. guiltily ['gɪltɪlɪ] - schuldbewusst
60. hole [həʊl] - das Loch
61. hooray [huː'reɪ] - hurra
62. husband ['hʌzbənd] - der Mann
63. in half [ɪn hɑːf] - in die Hälfte, entzwei
64. inflate [ɪn'fleɪt] - aufpumpen, aufblasen

65. inflated [ɪn'fleɪtɪd] - aufgepumpt/aufgeblasen
66. instrument ['ɪnstrʊmənt] - das Instrument
67. interesting ['ɪntrəstɪŋ] - interessant
68. kind, type [kaɪnd | taɪp] - die Art, der Typ
69. laugh [lɑːf] - lachen
70. leg [leg] - das Bein
71. like, be fond of something ['laɪk | bɪ fɔnd əv 'sʌmθɪŋ] - etwas mögen, gern haben
72. mark [mɑːk] - markieren
73. marker ['mɑːkə] - der Marker
74. masculine, men's ['mæskjʊlɪn | menz] - männlich, für Männer
75. mastery, art ['mɑːstərɪ | ɑːt] - die Kunst
76. matching, fitting ['mætʃɪŋ | 'fɪtɪŋ] - passend
77. mean [miːn] - meinen
78. memorize ['meməraɪz] - sich einprägen
79. mend, repair [mend | rɪ'peə] - reparieren
80. model ['mɔdəl] - das Modell
81. more [mɔː] - mehr
82. most [məʊst] - meist
83. movement ['muːvmənt] - die Bewegung
84. my, mine [maɪ | maɪn] - mein, meins, meine, meiner
85. needle ['niːdəl] - die Nadel
86. not enough [nɔt ɪ'nʌf] - nicht genug
87. notice ['nəʊtɪs] - bemerken
88. or, but [ɔː | bʌt] - oder, aber
89. origami [ˌɔrɪ'gɑːmɪ] - das Origami
90. paper ['peɪpə] - das Papier
91. pass [pɑːs] - passieren
92. pass through [pɑːs θruː] - einfädeln (in diesem Zusammenhang)
93. patch [pætʃ] - der Flicken
94. piece [piːs] - das Stück
95. pink [pɪŋk] - pink
96. plane [pleɪn] - das Flugzeug
97. pliers ['plaɪəz] - die Zange
98. praise [preɪz] - loben
99. press [pres] - drücken
100. proudly ['praʊdlɪ] - stolz
101. pull [pʊl] - ziehen
102. pump [pʌmp] - die Pumpe
103. punctured ['pʌŋktʃəd] - ein Loch haben
104. put ['pʊt] - setzen, stellen, legen, tun
105. put into water, submerge ['pʊt 'ɪntə 'wɔːtə

| səb'mɜːdʒ] - ins Wasser tun, untertauchen
106. put on ['pʊt ɔn] - anziehen
107. rain [reɪn] - der Regen
108. ready ['redɪ] - fertig
109. remain, stay [rɪ'meɪn | steɪ] - bleiben
110. remind [rɪ'maɪnd] - erinnern
111. repair [rɪ'peə] - die Reparatur
112. repair, fix [rɪ'peə | fɪks] - reparieren
113. repeat [rɪ'piːt] - wiederholen, nachmachen
114. right [raɪt] - rechts, richtig
115. rub with sandpaper [rʌb wɪð 'sændpeɪpə] - mit Schleifpapier reiben
116. rubber ['rʌbə] - das Gummi
117. run [rʌn] - laufen
118. sandpaper ['sændpeɪpə] - das Schleifpapier
119. scissors ['sɪzəz] - die Schere
120. scold [skəʊld] - ausschimpfen
121. screw [skruː] - die Schraube
122. screw in [skruː ɪn] - anschrauben
123. screwdriver ['skruːdraɪvə] - der Schraubenzieher
124. sew [səʊ] - nähen
125. sew on [səʊ ɔn] - annähen
126. shake [ʃeɪk] - schütteln, wackeln
127. share [ʃeə] - teilen
128. sharply ['ʃɑːplɪ] - scharf, hart
129. sheet [ʃiːt] - das Laken
130. shelf [ʃelf] - das Regal
131. ship [ʃɪp] - das Schiff
132. similar, the same ['sɪmələ | ðə seɪm] - ähnlich, das gleiche
133. size [saɪz] - die Größe
134. something ['sʌmθɪŋ] - etwas
135. spare, extra [speə | 'ekstrə] - der Ersatz, extra
136. succeed [sək'siːd] - Erfolg haben
137. take off [teɪk ɔf] - abnehmen
138. tear ['tɪə] - reißen
139. tell [tel] - erzählen
140. thread [θred] - der Faden
141. tire ['taɪə] - der Reifen
142. to [tuː] - zu
143. too, too much [tuː | tuː 'mʌtʃ] - zu sehr, zu viel

144. torn off ['tɔːn ɔf] - abgerissen
145. toy [tɔɪ] - das Spielzeug
146. try, attempt ['traɪ | tʊ ə'tempt] - versuchen
147. turn [tɜːn] - drehen
148. unfold [ʌn'fəʊld] - entfalten
149. up [ʌp] - hoch
150. upside down ['ʌpsaɪd daʊn] - kopfüber
151. visible ['vɪzəbəl] - sichtbar
152. volumetric [ˌvɔljʊ'metrɪk] - voluminös
153. washing dish ['wɔʃɪŋ dɪʃ] - die Schale
154. what ['wɔt] - was
155. what for ['wɔt fɔː] – wofür
156. your, yours [jə | jɔːz] - deins, deine, deiner

It's a day off today. Children want to go play after breakfast, but it's raining outside. The weather is cool and windy.	Heute ist ein freier Tag. Die Kinder wollen nach dem Frühstück spielen gehen, aber es regnet draußen. Das Wetter ist kalt und windig.
"We will do some household chores today," says Father.	„Wir werden heute ein paar Hausarbeiten erledigen," sagt Vater.
"But I want to ride my bicycle," says Alex.	„Aber ich will mein Fahrrad fahren," sagt Alex.
"It's raining on the street," Mother explains to her son. "If you ride the bicycle in the rain, you'll get wet and can catch a cold."	„Es regnet auf der Straße," erklärt Mutter ihrem Sohn. „Wenn du das Fahrrad im Regen fährst, wirst du nass werden und kannst dich erkälten."
"Also, your bike has a flat	„Außerdem hat dein Fahrrad

tire," his older brother Michael reminds. "It needs to be fixed."

"And I want to go to the playground," asks younger sister Lena.

"You'll also stay home today," Alex says to Sister. "Otherwise you'll get wet and get sick, too. We'll fix my bike together."

"It's a man's task to fix the bicycle," Mother says to her son. "Lena and I will do some women's work, and you and father will do some masculine work."

"What will we do?" Lena expresses interest.

"We will sew," Mother answers to her daughter. "At first I will teach you how to sew on buttons."

"And we will repair the bicycle," Father says to their sons.

einen Platten," erinnert ihn sein älterer Bruder Michael. „Es muss repariert werden."

„Und ich will zum Spielplatz gehen," fragt die jüngere Schwester Lena.

„Du wirst heute auch zuhause bleiben," sagt Alex zu seiner Schwester. „Sonst wirst du auch nass und krank. Wir werden mein Fahrrad zusammen reparieren."

„Es ist die Aufgabe des Mannes das Fahrrad zu reparieren," sagt Mutter zu ihrem Sohn. „Lena und ich werden etwas Frauenarbeit machen und Vater wird männliche Arbeit tun."

„Was werden wir tun?" Lena drückt ihr Interesse aus.

„Wir werden nähen," antwortet Mutter ihrer Tochter. „Zunächst werde ich dir beibringen, wie man Knöpfe annäht."

„Und wir werden das Fahrrad reparieren," sagt Vater zu ihren Söhnen.

"Christian, one of the kitchen chairs is wobbly," Anna reminds Husband. "Fix it as well."	„Christian, einer der Küchenstühle ist wacklig," erinnert Anna ihren Mann. „Repariere ihn auch."
"All right," says Christian. "Let's repair the chair first. We need tools."	„In Ordnung," sagt Christian. „Lasst uns zuerst den Stuhl reparieren. Wir brauchen Werkzeug."
He takes a screwdriver, pliers, and screws out of the cupboard. Then Father, Michael, and Alex go into the kitchen to fix the chair.	Er nimmt einen Schraubenzieher, Zange, und Schrauben aus dem Schrank. Dann gehen Vater, Michael und Alex alle in die Küche um den Stuhl zu reparieren.
"Which of the chairs is	

broken?" Father asks.
"This one," Michael points at the broken chair that stands in the corner of the kitchen.
Father takes the chair and turns it legs up.
"Let's check if the legs' fastening is damaged," he says.
"I see there are no screws here," Michael notes and points at the damaged spot.
"Screws fall out when someone sits on the chair and shakes it," Father explains and looks at Alex.
"I didn't shake the chair," Son says guiltily. "Lena and I were playing. I was giving her a ride on the flipped over chair."
"Don't do it anymore," Father explains. "The chairs are meant to be sat on, not ridden. How many screws are missing?"
"Four," the older son says and gives father a box with

„Welcher der Stühle ist kaputt?" fragt Vater.
„Dieser," Michael zeigt auf den kaputten Stuhl, der in der Ecke der Küche steht.
Vater nimmt den Stuhl und dreht ihn um.
„Lasst und prüfen, ob die Befestigung der Beine beschädigt ist," sagt er.
„Ich sehe, dass hier keine Schrauben sind," bemerkt Michael und zeigt auf die beschädigte Stelle.
„Schrauben fallen heraus, wenn jemand auf dem Stuhl sitzt und ihn wackelt," erklärt Vater und schaut Alex an.
„Ich habe den Stuhl nicht gewackelt," sagt der Sohn schuldbewusst. „Lena und ich haben gespielt. Ich habe ihr einen Ritt auf dem umgedrehten Stuhl gegeben."
„Tu das nicht mehr," erklärt Vater. „Die Stühle sind zum Sitzen gedacht, nicht um geritten zu werden. Wie viele Schrauben fehlen?"

screws.
Farther picks the screws of the right size and takes a screwdriver. Then he holds tight the fastening of the chair's legs.
"Michael, hold the fastening," Father guides. "And you, Alex, hold these two legs. I will screw in new screws."
Sons hold the chair tight, and Father uses a screwdriver to screw in new screws.
"Now you can turn it over and out it on the floor on its legs," Father says when everything is ready.
"Hooray! We fixed the chair! It doesn't shake anymore!" Alex is happy.
"Now let's go and repair your bike," the older brother Michael reminds.

„Vier," sagt der ältere Sohn und gibt Vater eine Box mit Schrauben.
Vater wählt die Schrauben in der richtigen Größe und nimmt einen Schraubenzieher. Dann hält der die Befestigung der Stuhlbeine fest.
„Michael, halt die Befestigung," leitet der Vater an. „Und du, Alex, halt diese zwei Beine. Ich werde neue Schrauben anschrauben."
Die Söhne halten den Stuhl fest und Vater benutzt einen Schraubenzieher um neue Schrauben anzuschrauben.
„Jetzt könnt ihr ihn umdrehen und auf seine Beine auf den Boden stellen," sagt Vater, als alles fertig ist.
„Hurra! Wir haben den Stuhl repariert! Er wackelt nicht mehr!" Alex ist glücklich.
„Lasst uns jetzt gehen und dein Fahrrad reparieren," erinnert ihn der ältere Bruder Michael.

While Father and sons repair the bicycle, Mother teaches younger daughter Lena to sew.
"Two buttons came off your blouse yesterday. We'll sew them on now," Mother says to Daughter.
"Mother, these buttons are not there, they are missing," Lena answers.
"Then we'll have to change all buttons on the blouse so that they match," Mother explains.
She takes a box with buttons out of the cupboard. There are many different buttons in

Während Vater und die Söhne das Fahrrad reparieren, bringt Mutter der jüngeren Tochter Lena nähen bei.
„Gestern haben sich zwei Knöpfe von deiner Bluse gelöst. Wir werden sie jetzt annähen," sagt Mutter zur Tochter.
„Mutter, diese Knöpfe sind nicht da, sie sind verschwunden," antwortet Lena.
„Dann werden wir alle Knöpfe an der Bluse wechseln müssen, damit sie zusammen passen," erklärt Mutter.
Sie nimmt eine Box mit Knöpfen aus dem Schrank. Es gibt viele verschiedene Knöpfe in der Box.

the box. Mother and Lena choose matching buttons together.
"We need just five red buttons," Mother teaches Lena. "But pink or white buttons would also fit on your blouse."
Lena chooses the buttons she likes most, but they are too big.
"These buttons are pretty, but they don't fit on your blouse," Mother explains. "They are too big and won't go through the buttonhole."
"Then I want these ones," Lena gives Mother small pink buttons.
"Yes, these ones fit," Mother approves. "Now we are going to take a needle, pink thread, and scissors."
Mother cuts the thread with scissors. Then she shows Daughter how to pass the thread through the eye of the needle. Mother gives Lena the thread and the needle with the big eye.
"Now you pass the thread

Mutter und Lena wählen zusammen passende Knöpfe aus.
„Wir brauchen nur fünf rote Knöpfe," erklärt Mutter Lena. „Aber pinke oder weiße Knöpfe würden auch an deine Bluse passen."
Lena wählt die Knöpfe, die sie am liebsten mag, aber sie sind zu groß.
„Diese Knöpfe sind hübsch, aber sie passen nicht auf deine Bluse," erklärt Mutter. „Sie sind zu groß und werden nicht durch das Knopfloch gehen."
„Dann will ich diese," Lena gibt Mutter kleine, pinke Knöpfe.
„Ja, diese passen," stimmt Mutter zu. „Jetzt nehmen wir eine Nadel, pinken Faden und eine Schere."
Mutter schneidet den Faden mit der Schere. Dann zeigt sie Tochter wie man den Faden durch das Nadelöhr fädelt.
Mutter gibt Lena den Faden und die Nadel mit dem großen Öhr.
„Jetzt fädelst du den Faden durch das Nadelöhr," sagt Mutter zu Tochter.

through the eye of the needle," mother says to Daughter.
Lena tries passing the thread through the big eye of the needle, but it doesn't work. She repeats one more time.
"Mother, look, I did it," Daughter is happy. "Will we sew on the buttons now?"
"Yes, but we will cut off the old buttons before sewing on the new ones," Mother replies and picks up the scissors. She carefully cuts the threads that hold the old buttons on the blouse. Then she gives the scissors to Lena. Lena carefully cuts off the second button, and then the third one.
"Good job, Daughter, you are cutting them off very neatly," Mother praises Lena. "Now I'll show you the right way to sew on the buttons."
Mother takes the needle and the thread and sews on the first button. Then Lena tries sewing on the second button. It doesn't work because the

Lena versucht den Faden durch das große Nadelöhr zu führen, aber es funktioniert nicht. Sie wiederholt es noch ein Mal.
„Mutter, schau, ich hab's geschafft," Tochter ist glücklich. „Werden wir jetzt die Knöpfe annähen?"
„Ja, aber wir werden die alten Knöpfe abschneiden bevor wir die neuen annähen," antwortet Mutter und nimmt die Schere. Sie schneidet vorsichtig die Fäden, die die alten Knöpfe an der Bluse halten. Dann gibt sie Lena die Schere. Lena schneidet vorsichtig den zweiten Knopf und dann den dritten Knopf ab.
„Gut gemacht, Tochter, du schneidest sie sehr ordentlich ab," lobt Mutter Lena. „Jetzt zeige ich dir den richtigen Weg, wie man Knöpfe annäht."
Mutter nimmt die Nadel und den Faden und näht den ersten Knopf an. Dann versucht Lena den zweiten Knopf anzunähen. Es funktioniert nicht, weil der Faden sich verheddert. Lena

thread gets tangled. Lena pulls the needle sharply, and the thread tears. Mother untangles the thread and shows Daughter again how to sew on the needle. At last, Lena succeeds in sewing on her first button. She is happy. "Mother, now I know how to sew too," she says joyfully.

zieht stark an der Nadel und der Faden reißt. Mutter entwirrt den Faden und zeigt Tochter noch mal wie man den Knopf annäht. Endlich gelingt es Lena ihren ersten Knopf anzunähen. Sie ist glücklich.
„Mutter, jetzt weiß ich auch wie man näht," sagt sie voller Freude.

While Mother and Daughter sew the needles on the blouse, Father with sons repair the bicycle. Back wheel tire of the bicycle is punctured.

Während Mutter und Tochter die Knöpfe an die Bluse nähen, repariert Vater mit den Söhnen das Fahrrad. Das Hinterrad des Fahrrads hat ein Loch.
„Wir haben keinen extra Reifen

“We don’t have an extra tire for the wheel,” Father says. “So we need to seal the puncture in this one.”
“Do we have special glue for the rubber?” the older son asks.
“Yes, we do,” Father answers. “It is on the shelf next to the tools.”
“I’ll bring it right now,” Alex says and runs to the cupboard to get the glue. He brings the glue.
“The innermost tire is under the casing. We need to take it off to seal the tire,” Father explains. “So first let’s take off the casing.”
The boys turn the bicycle wheels up and hold it. Father uses the screwdriver to take the casing off, and then takes the tire off the wheel.
“Besides the glue we need a special rubber patch,” Father continues. “We cut it from a piece of rubber. We also

für das Rad,“ sagt Vater. „Also müssen wir das Loch von diesem flicken.“
„Haben wir Spezialkleber für das Gummi?“ fragt der ältere Sohn.
„Ja, haben wir,“ antwortet Vater. „Es ist auf dem Regal neben dem Werkzeug.“
„Ich werd ihn sofort bringen,“ sagt Alex und läuft zum Schrank um den Kleber zu holen. Er bringt den Kleber.
„Der innerste Reifen ist unter dem Mantel. Wir müssen ihn abnehmen, um das Loch zu flicken,“ erklärt Vater. „Also, lasst uns zunächst den Mantel abnehmen.“
Die Jungs drehen das Fahrrad mit den Reifen nach oben und halten es. Vater nimmt den Schraubenzieher um den Mantel abzunehmen, und nimmt dann den Reifen vom Rad.
„Außer dem Kleber brauchen wir einen speziellen Gummi-Flicken,“ fährt Vater fort. „Wir schneiden ihn aus einem Stück

need some sand paper."
"What for?" Alex asks. "Can't we just glue the puncture with glue?"
"No, the glue by itself is not enough to repair the punctured tire," the older brother explains. "We also need a patch and sandpaper."
"But first we have to determine in which place the tire is damaged," Father reminds. "Alex, bring a dish with water."
"What for?" Son is surprised.
"To determine the place where the damage is we need to inflate the tire using a pump and submerge it into the water. The air will come out in the spot where the tire is punctured," Father says. "It is visible in the water because the air comes out in the form of tiny bubbles."

Gummi. Wir brauchen auch etwas Schleifpapier."
„Wofür?" fragt Alex. „Können wir das Loch nicht einfach mit Kleber kleben?"
„Nein, der Kleber allein ist nicht genug, um den platten Reifen zu reparieren," erklärt der ältere Bruder. „Wir brauchen auch einen Flicken und Schleifpapier."
„Aber zuerst müssen wir feststellen an welcher Stelle der Reifen beschädigt ist," erinnert Vater. „Alex, bring eine Schale mit Wasser."
„Wofür?" Der Sohn ist überrascht.
„Um festzustellen wo der Schaden ist, müssen wir den Reifen mit einer Pumpe aufpumpen und ihn ins Wasser tauchen. Die Luft wird aus der Stelle kommen, wo der Reifen ein Loch hat," sagt Vater. „Das ist im Wasser zu sehen, weil die Luft in Form von kleinen Bläschen herauskommt."

Michael takes the pump and inflated the tire. Alex submerges it into the dish full of water.
"Here, Father, look, here are the small bubbles," says Son. "It means that the tire is punctured here."
Father takes the tire out of the water and marks the damaged spot with a marker. Then Alex wipes the tire dry, and Michael rubs the tire with sandpaper.
"Now let's put the glue on the damaged spot and patch it," Father says. "Press it and

Michael nimmt die Pumpe und pumpt den Reifen auf. Alex taucht ihn in die Schale voll Wasser.
„Hier, Vater, schau, hier sind kleine Bläschen," sagt der Sohn. „Das bedeutet, dass der Reifen hier ein Loch hat."
Vater nimmt den Reifen aus dem Wasser und markiert die beschädigte Stelle mit einem Marker. Dann wischt Alex den Reifen trocken und Michael reibt den Reifen mit Schleifpapier.
„Lasst uns jetzt den Kleber auf die beschädigte Stelle tun und sie flicken," sagt Vater. „Drück es und halte es für mehrere

hold for several minutes."
After the tire is fixed, Michael inflates it again. He checks if the air is coming out.
Then Father puts the tire and casing on the wheel. The bicycle is repaired.

Minuten."
Nachdem der Reifen repariert ist, pumpt ihn Michael wieder auf. Er prüft, ob Luft herauskommt.
Dann tut Vater den Reifen und den Mantel auf das Rad. Das Fahrrad ist repariert.

Meanwhile, Mother works with Daughter.
She teachers her how to make origami from paper.
Mother puts a piece of paper on the table, then folds it in the middle and folds the corners. Lena watches attentively and memorizes all the movements.

In der Zwischenzeit arbeitet Mutter mit Tochter.
Sie bringt ihr bei wie man Origami aus Papier macht.
Mutter legt ein Stück Papier auf den Tisch, faltet es dann in der Mitte und faltet die Ecken. Lena schaut aufmerksam zu und merkt sich alle Bewegungen.
„Mutter, was wird es?" fragt

"Mother, what will it be?" asks Daughter.
"It will be a ship," Mother answers. "Watch carefully. I will make it now and then unfold it and give it to you. After that you'll repeat my movements. It will make it easier to remember."
Lena also tries folding a ship, but she doesn't remember everything and Mother helps her. Lena makes a ship. Then Mother gives her a new piece of paper.
"Now we will be making planes," Mother says to Daughter. "Look how I do it and repeat it right away."
Mother starts folding a plane out of paper. Lena watches and repeats all the movements. She is doing a good job.
"Good job, Daughter," Mother praises Lena. "Now let's try making more complex figures."
"Mother, can we make a paper frog?" Daughter is interested.

Tochter.
„Es wird ein Schiff," antwortet Mutter. „Schau genau hin. Ich werde es jetzt machen und es dann auseinanderfalten und dir geben. Danach wirst du meine Bewegungen wiederholen. Das macht es leichter zu merken."
Lena versucht auch ein Schiff zu falten, aber sie erinnert nicht alles und Mutter hilft ihr. Lena macht ein Schiff. Dann gibt Mutter ihr ein neues Stück Papier.
„Jetzt machen wir Flugzeuge," sagt Mutter zu Tochter. „Schau wie ich es mache und wiederhole es sofort."
Mutter fängt an ein Flugzeug aus Papier zu falten. Lena schaut zu und wiederholt alle Bewegungen. Sie macht es gut.
„Gut gemacht, Tochter," lobt Mutter Lena.
„Jetzt lass uns versuchen komplexere Figuren zu machen."
„Mutter, können wir einen Papierfrosch machen?" Tochter ist interessiert.
„Ja, können wir," antwortet

"Yes, we can," Mother answers. "It will be able to jump."
"Let's make a frog!" Lena asks.
They fold a paper frog, Lena plays with it and laughs.
"It jumps its real!" Daughter is happy. "Let's make something else," she asks.
Mother puts a sheet of paper in front of herself and Lena. She teaches Daughter the origami art. Lena repeats everything after mother.
"This figure is even more complex," Mother explains to Daughter. "Don't rush, do everything carefully. The folds should be very straight."
Lena does her best. She wonders what will come out this time.
"It's just a fan-fold paper," Daughter is surprised. "It's not difficult to make it."
"Yes, it is a fan-fold paper," Mother agrees. "But that's not all. The most difficult thing is to unfold it from the

Mutter. „Er wird springen können."
„Lass uns einen Frosch machen!" fragt Lena.
Sie falten einen Papierfrisch, Lena spielt mit ihm und lacht.
„Er springt, er ist echt!" Tochter ist glücklich. „Lass und etwas anderes machen," fragt sie.
Mutter legt ein Blatt Papier vor sich und Lena. Sie bringt Tochter die Origami-Kunst bei. Lena macht ihrer Mutter alles nach.
„Diese Figur ist noch komplexer," erklärt Mutter ihrer Tochter. „Sei nicht hastig, mach alles vorsichtig. Die Falten sollten sehr gerade sein."
Lena gibt ihr bestes. Sie fragt sich, was dieses Mal herauskommen wird.
„Es ist nur ein Faltpapier," Tochter ist überrascht. „Es ist nicht schwer zu machen."
„Ja, es ist ein Faltpapier," stimmt Mutter tu.
„Aber das ist nicht alles. Das schwierigste ist es von innen zu entfalten," fährt sie fort.
Mutter entfaltet ihr Model.

inside," she continues.
Mother unfolds her model. Daughter sees a volumetric fan-fold and is joyful.
"Can I make one too?" Lena asks Mother.
"I will help you a little," says Mother, and unfolds a fan-fold paper together with Daughter.
Father, Michael, and Alex finish repairing a bicycle and come back to the living room.
"Look, how many paper toys we made with Mother!" Lena announces joyfully.
"And Father and us fixed the chair which we broke," Alex says proudly. "And we repaired the bicycle."

Tochter sieht ein voluminöses Faltpapier und ist voller Freude.
„Kann ich auch eins machen?" fragt Lena Mutter.
„Ich werde dir ein wenig helfen," sagt Mutter und entfaltet ein Endlospapier zusammen mit Tochter.
Vater, Michael und Alex beenden die Reparatur des Fahrrads und kommen zurück ins Wohnzimmer.
„Schaut wie viele Papierspielzeuge wir mit Mutter gemacht haben!" verkündet Lena voll Freude.
„Und Vater und wir haben den Stuhl repariert, den wir kaputt gemacht haben," sagt Alex stolz.
„Und wir haben das Fahrrad repariert."

Wörterbuch Englisch-Deutsch

about [ə'baʊt] - über
acceleration [əkˌselə'reɪʃən] - die Beschleunigung
acquisition [ˌækwɪ'zɪʃən] - der Erwerb
action, act ['ækʃən | ækt] - die Aktion, der Akt
activity [æk'tɪvətɪ] - die Aktivität
acute respiratory disease [ə'kjuːt rɪ'spɪrətrɪ dɪ'ziːz] - die akute Atemwegserkrankung
advice [əd'vaɪs] - empfehlen
after ['ɑːftə] - nach
after that, then ['ɑːftə ðæt | ðen] - danach, dann
again [ə'gen] - wieder
age [eɪdʒ] - das Alter
agitate, perturb ['ædʒɪteɪt | pə'tɜːb] - sich aufregen
agree [ə'griː] - einverstanden sein
ah [ɑː] - oh
air [eə] - die Luft
alarm clock [ə'lɑːm 'klɔk] - der Wecker
allow, permit [ə'laʊ | pə'mɪt] - erlauben
aloud [ə'laʊd] - laut
already [ɔːl'redɪ] - schon
amanita [ˌæmə'naɪtə] - der Fliegenpilz
animal ['ænɪməl] - das Tier
announce [ə'naʊns] - ankündigen
answer ['ɑːnsə] - antworten
apartment [ə'pɑːtmənt] - die Wohnung
apple ['æpəl] - der Apfel
apply [ə'plaɪ] - anwenden
appointment [ə'pɔɪntmənt] - der Termin
approve [ə'pruːv] - genehmigen, zustimmen
arrive [ə'raɪv] - ankommen
ask (for something) [ɑːsk fə 'sʌmθɪŋ] - um etwas bitten, nach etwas fragen
ask [ɑːsk] - fragen
at [æt] - bei
at home [ət həʊm] - zuhause
attentively [ə'tentɪvlɪ] - aufmerksam
aunt [ɑːnt] - die Tante
auto service ['ɔːtəʊ 'sɜːvɪs] - die Werkstatt
baby kangaroo ['beɪbɪ ˌkæŋgə'ruː] - das Baby Känguru
back ['bæk] - zurück
backpack ['bækpæk] - der Rucksack
balloon [bə'luːn] - der Ballon
bank [bæŋk] - die Bank
bark [bɑːk] - bellen
bathe [beɪð] - baden
bathroom ['bɑːθruːm] - das Badezimmer
be [bɪ] - sein
be afraid of, fear [bɪ ə'freɪd ɔv | fɪə] - Angst haben
be called [bɪ kɔːld] - gerufen warden, heißen, sich nennen
be happy, be joyful [bɪ 'hæpɪ | bɪ 'dʒɔɪfəl] - glücklich sein, voller Freude sein
be held [bɪ held] - gehalten werden

be in a hurry, be in a rush [bɪ ɪn ə 'hʌrɪ | bɪ ɪn ə rʌʃ] - in Eile sein, es eilig haben
be interested (in something) [bɪ ˈɪntrəstɪd ɪn ˈsʌmθɪŋ] - (an etwas) interessiert sein
be late [bɪ leɪt] - spät sein
be on time [bɪ ɔn ˈtaɪm] - pünktlich sein
be over [bɪ 'əʊvə] - vorbei sein
be sad [bɪ sæd] - traurig sein
be surprised [bɪ sə'praɪzd] - überrascht sein
beach [biːtʃ] - der Strand
become [bɪ'kʌm] - werden
bedroom ['bedruːm] - das Schlafzimmer
beg [beg] - betteln
begin [bɪ'gɪn] - anfangen
beginning [bɪ'gɪnɪŋ] - der Anfang
bend [bend] - biegen
better ['betə] - besser
bird [bɜːd] - der Vogel
bite [baɪt] - beißen
bland (about an illness) [blænd] - mild
blouse [blaʊz] - die Bluse
blue [bluː] - blau
bonus ['bəʊnəs] - der Bonus
book [bʊk] - das Buch
both [bəʊθ] - beide/beides
bottle ['bɔtəl] - die Flasche
box [bɔks] - die Box
boy [ˌbɔɪ] - der Junge
bread [bred] - das Brot
break [breɪk] - die Pause, brechen, kaputt machen
breakfast ['brekfəst] - das Frühstück
breathe [briːð] - atmen
breathing ['briːðɪŋ] - die Atmung
bring [brɪŋ] - bringen
broken, damaged ['brəʊkən | 'dæmɪdʒd] - kaputt
broom [bruːm] - der Besen
brother ['brʌðə] - der Bruder
bubbles ['bʌbəlz] - die Blasen
burn [bɜːn] - brennen
businessman ['bɪznəsmæn] - der Geschäftsmann
but [bʌt] - aber
button ['bʌtən] - der Knopf
buttonhole ['bʌtənhəʊl] - das Knopfloch
buy [baɪ] - kaufen
by foot [baɪ fʊt] - zu Fuß
call [kɔːl] - anrufen, rufen
camera ['kæmərə] - die Kamera
can [kæn] - kann
cap (of the mushroom) [kæp] - die Kappe (von einem Pilz)
car [kɑː] - das Auto
card [kɑːd] - die Karte
careful ['keəfʊl] - vorsichtig
carefully ['keəfəlɪ] - vorsichtig
caring ['keərɪŋ] - fürsorglich
carnivore ['kɑːnɪvɔː] - der Fleischfresser
carriage ['kærɪdʒ] - der Wagen
carry ['kærɪ] - tragen
casing ['keɪsɪŋ] - der Mantel (vom Fahrrad)
catch [kætʃ] - fangen
catch a cold [kætʃ ə kəʊld] - sich erkälten
celebratory [ˌselə'breɪtərɪ] - feierlich
change (clothes) [tʃeɪndʒ kləʊðz] - wechseln (Kleidung)

change [tʃeɪndʒ] - ändern, wechseln
check [tʃek] - kontrollieren, überprüfen
checkup, medical exam ['tʃekʌp | 'medɪkəl ɪg'zæm] - die Überprüfung, die medizinische Untersuchung
cheeky ['tʃiːkɪ] - frech
cheese [tʃiːz] - der Käse
child [tʃaɪld] - das Kind
choose [tʃuːz] - wählen
chop [tʃɔp] - hacken
clamour ['klæmə] - schreien
clap [klæp] - klatschen
clean, tidy ['kliːn | 'taɪdɪ] - reinigen, sauber, säubern, aufräumen
client ['klaɪənt] - der Kunde
close [kləʊz] - schließen
closet ['klɔzɪt] - der Schrank
cloth [klɔθ] - das Tuch
clothes [kləʊðz] - die Kleidung
clown [klaʊn] - der Clown
coffee ['kɔfɪ] - der Kaffee
colleague ['kɔliːg] - der Kollege
collect [kə'lekt] - sammeln, einsammeln
come [kʌm] - kommen
comedy ['kɔmədɪ] - die Komödie
coming ['kʌmɪŋ] - kommen
competition [ˌkɔmpə'tɪʃən] - der Wettbewerb
complain [kəm'pleɪn] - sich beschweren
complaint [kəm'pleɪnt] - die Beschwerde
completely [kəm'pliːtlɪ] - komplett
compote, stewed fruit ['kɔmpɔt | stjuːd fruːt] - der Kompott
concert [kən'sɜːt] - das Konzert
consist of [kən'sɪst ɔv] - aus etwas bestehen
consult [kən'sʌlt] - beraten
continue [kən'tɪnjuː] - weitermachen
control [kən'trəʊl] - kontrollieren, überwachen
cook, prepare [kʊk | prɪ'peə] - kochen, zubereiten
cooking pot ['kʊkɪŋ pɔt] - der Kochtopf
cool [kuːl] - kühl
copy, sample ['kɔpɪ | 'sɑːmpəl] - die Kopie
count [kaʊnt] - zählen
cramped [kræmpt] - eingeengt
crosswalk ['krɔswɔːk] - der Zebrastreifen
cry [kraɪ] - weinen
cup [kʌp] - die Tasse
curly ['kɜːlɪ] - lockig
customer, client ['kʌstəmə | 'klaɪənt] - der Kunde
cut [kʌt] - schneiden
cut off [kʌt ɔf] - abschneiden
cut out [kʌt 'aʊt] - ausschneiden
daily planner ['deɪlɪ 'plænə] - der Tagesplaner
daily routine ['deɪlɪ ruː'tiːn] - die tägliche Routine
damage ['dæmɪdʒ] - der Schaden
damaged ['dæmɪdʒd] - beschädigt

damp [dæmp] - feucht
dangerous ['deɪndʒərəs] - gefährlich
daughter ['dɔːtə] - die Tochter
day [deɪ] - Tag
day off, weekend [deɪ ɔf | wiːk'end] - das Wochenende
decide [dɪ'saɪd] - entscheiden
deep [diːp] - tief
degree [dɪ'griː] - der Grad
desired [dɪ'zaɪəd] - gewünscht
detangle [də'tæŋ gəl] - entwirren
detergent [dɪ'tɜːdʒənt] - das Reinigungsmittel
determine [dɪ'tɜːmɪn] - bestimmen
diagnosis [ˌdaɪəg'nəʊsɪs] - die Diagnose
difficult ['dɪfɪkəlt] - schwierig
direct mortgage loan [dɪ'rekt 'mɔːgɪdʒ ləʊn] - direktes Hypothekendarlehen
disease, illness [dɪ'ziːz | 'ɪlnəs] - die Krankheit, die Erkrankung
dishes ['dɪʃɪz] - das Geschirr
dishwashing ['dɪʃwɑːʃɪŋ] - das Geschirrspülen
do, make [duː | 'meɪk] - machen, tun
do one’s bst [də wʌnz ˌbiːˌes'tiː] - sein bestes geben
doctor ['dɔktə] - der Arzt/die Ärztin
document (in this context) ['dɔkjʊment] - das Dokument
dog [dɔg] - der Hund
dot [dɔt] - der Fleck
draw [drɔː] - zeichnen
drawing ['drɔːɪŋ] - die Zeichnung
drive (a car) [draɪv ə kɑː] - fahren (ein Auto)
drive, take somewhere [draɪv | teɪk 'sʌmweə] - hinfahren, hinbringen
drive out [draɪv 'aʊt] - herausfahren
drive to (somewhere) [draɪv tə 'sʌmweə] - an einen Ort fahren
drop by [drɔp baɪ] - vorbeikommen/vorbeifahren
drops [drɔps] - die Tropfen
dry [draɪ] - trocken, trocknen
dust [dʌst] - der Staub
ear [ɪə] - das Ohr
early (in this context) ['ɜːlɪ] - früh
earn [ɜːn] - verdienen
easier ['iːzɪə] - leichter
easy, simple ['iːzɪ | 'sɪmpəl] - einfach
eat [iːt] - essen
eat breakfast [iːt 'brekfəst] - Frühstück essen, frühstücken
edible ['edɪbəl] - essbar
egg [eg] - das Ei
eight [eɪt] - acht
eleven [ɪ'levən] - elf
embroider [ɪm'broɪdə] - sticken
enter ['entə] - betreten/hereinkommen
entire [ɪn'taɪə] - ganz, ganze, gesamt
entrance hall [ɪn'trɑːns hɔːl] - die Eingangshalle
equipment [ɪ'kwɪpmənt] - die Ausrüstung

even ['iːvən] - sogar, gleich
evening ['iːvənɪŋ] - der Abend
event [ɪ'vent] - die Veranstaltung/das Event
examine [ɪg'zæmɪn] - untersuchen
exclaim [ɪk'skleɪm] - rufen
explain [ɪk'spleɪn] - erklären
fair [feə] - fair/gerecht
fall [fɔːl] - fallen
fall off, tear off [fɔːl ɔf | teər ɔf] - abfallen, abreißen
family ['fæməlɪ] - die Familie
fan-fold [fæn fəʊld] - das Faltpapier
farther, further ['fɑːðə | 'fɜːðə] - weiter
fastening ['fɑːsənɪŋ] - die Befestigung
father ['fɑːðə] - der Vater
favorite ['feɪvərət] - Liebling/s
feed [fiːd] - etwas zu Essen geben, füttern
feel [fiːl] - fühlen
feminine, women's ['femənɪn | 'wɪmɪnz] - feminine, für Frauen
fence [fens] - der Zaun
fifteen [ˌfɪf'tiːn] - fünfzehn
figure ['fɪgə] - die Figur
fill up [fɪl ʌp] - auffüllen
finally ['faɪnəlɪ] - endlich
find [faɪnd] - finden
fine [faɪn] - gut
finish ['fɪnɪʃ] - beenden, etwas beenden
firmly ['fɜːmlɪ] - fest
first ['fɜːst] - zuerst, als erstes
fixate [fɪk'seɪt] - fixieren
floor [flɔː] - der Boden
fly [flaɪ] - fliegen
fold [fəʊld] - die Falte, falten
folding ['fəʊldɪŋ] - falten
food [fuːd] - das Essen
for a long time, a long time ago [fər ə 'lɔŋ 'taɪm | ə 'lɔŋ 'taɪm ə'gəʊ] - für eine lange Zeit, vor einer langen Zeit
forest ['fɔrɪst] - der Wald
fork [fɔːk] - die Gabel
form ['fɔːm] - das Formular
forty ['fɔːtɪ] - vierzig
four-thirty [fɔː 'θɜːtɪ] - vier Uhr dreißig, halb fünf
free [friː] - frei
frog [frɔg] - der Frosch
from the inside [frəm ðɪ ɪn'saɪd] - von innen
fry [fraɪ] - frittieren
garage ['gærɑːʒ] - die Garage
garden ['gɑːdən] - der Garten
garden plot ['gɑːdən plɔt] - der Schrebergarten
gate [geɪt] - das Tor
gather ['gæðə] - sich versammeln
get, take ['get | teɪk] - bekommen, nehmen
get better ['get 'betə] - gesund werden
get confused ['get kən'fjuːzd] - verwirrt sein
get dressed ['get drest] - sich anziehen
get hungry ['get 'hʌŋgrɪ] - hungrig werden
get lost, disappear ['get lɔst | ˌdɪsə'pɪə] - verloren gehen, verschwinden
get scared ['get skeəd] - Angst bekommen

get sick ['get sɪk] - krank werden
get tangled up ['get 'tæŋgəld ʌp] - sich verheddern
get tired ['get 'taɪəd] - müde werden
get up ['get ʌp] - aufstehen
get wet ['get wet] - nass werden
girl [gɜːl] - das Mädchen
give (away) [gɪv ə'weɪ] - (weg) geben
give a ride (to somebody) [gɪv ə raɪd tə 'sʌmbədɪ] - jemanden mit etwas fahren lassen, reiten lassen
give out [gɪv 'aʊt] - ausgeben, verteilen
glass ['glɑːs] - das Glas
glue [gluː] - kleben, der Kleber
go [gəʊ] - gehen
goes [gəʊz] - geht
good [gʊd] - gut
good job [gʊd dʒɔb] - gut gemacht (in diesem Zusammenhang)
goods [gʊdz] - die Güter
grab [græb] - nehmen, greifen
granddaughter ['grændɔːtə] - die Enkelin
grandfather ['grænfɑːðə] - der Großvater
grandmother ['græn ˌmʌðə] - die Großmutter
grandson ['grænsʌn] - der Enkel
grizzle ['grɪzəl] - quengeln
grow [grəʊ] - wachsen
grow dark [grəʊ dɑːk] - dunkel werden
guest [gest] - der Gast
guiltily ['gɪltɪlɪ] - schuldbewusst
gym [dʒɪm] - das Fitnessstudio
hair [heə] - die Haare
half [hɑːf] - halb
half an hour [hɑːf ən 'aʊə] - die halbe Stunde
handmade [hænd'meɪd] - handgemacht
hang [hæŋ] - hängen
happy ['hæpɪ] - glücklich
have lunch [həv 'lʌntʃ] - zu Mittag essen
have supper / dinner [həv 'sʌpə | 'dɪnə] - zu Abend essen
have to (do something) [həv tə də 'sʌmθɪŋ] - muss (etwas tun)
head off to [hed ɔf tuː] - in Richtung… fahren/gehen
hear [hɪə] - hören
hello [hə'ləʊ] - hallo
help [help] - helfen
her [hə] - ihr/ihre/sich
here [hɪə] - hier
his [hɪz] - sein, seine
hit oneself [hɪt wʌn'self] - sich schlagen, hinfallen
hold [həʊld] - halten
hole [həʊl] - das Loch
home [həʊm] - zuhause
honey ['hʌnɪ] - der Honig
hooray [huː'reɪ] - hurra
hospital, clinic ['hɔspɪtəl | 'klɪnɪk] - das Krankenhaus, die Klinik
hour ['aʊə] - die Stunde
house ['haʊs] - das Haus
housewife ['haʊswaɪf] - die Hausfrau

how ['haʊ] - wie
how many, how much ['haʊ mənɪ | 'haʊ 'mʌtʃ] - wie viel/e
hundred ['hʌndrəd] - hundert
husband ['hʌzbənd] - der Mann
I ['aɪ] - ich
if [ɪf] - wenn/falls
immovable property [ɪ'muːvəbəl 'prɔpətɪ] - das unbewegliche Vermögen
in half [ɪn hɑːf] - in die Hälfte, entzwei
in the morning [ɪn ðə 'mɔːnɪŋ] - am Morgen
inflamed [ɪn'fleɪmd] - entzündet
inflatable [ɪn'fleɪtəbəl] - aufblasbar
inflate [ɪn'fleɪt] - aufpumpen, aufblasen
inflated [ɪn'fleɪtɪd] - aufgepumpt/aufgeblasen
information [ˌɪnfə'meɪʃən] - die Information
inner ['ɪnə] - innerer/innere/inneres
instead (of) [ɪn'sted ɔv] - anstelle von, anstatt
instrument ['ɪnstrʊmənt] - das Instrument
interesting ['ɪntrəstɪŋ] - interessant
invite [ɪn'vaɪt] - hereinbitten (in einen Raum)
issue ['ɪʃuː] - ausstellen
it's time [ɪts 'taɪm] - es ist Zeit
joyful, happy ['dʒɔɪfəl | 'hæpɪ] - fröhlich, freudig, glücklich
jump [dʒʌmp] - springen
jump out [dʒʌmp 'aʊt] - herausspringen
kind [kaɪnd] - lieb, freundlich
kindergarten ['kɪn dərˌgɑrdn] - der Kindergarten
kitchen ['kɪtʃɪn] - die Küche
knife [naɪf] - das Messer
knit [nɪt] - stricken
know [nəʊ] - wissen/kennen
later ['leɪtə] - später
laugh [lɑːf] - lachen
laundry ['lɔːndrɪ] - die Wäsche
laundry basket ['lɔːndrɪ 'bɑːskɪt] - der Wäschekorb
laundry detergent ['lɔːndrɪ dɪ'tɜːdʒənt] - das Waschmittel
leave [liːv] - verlassen, lassen, gehen
leaves [liːvz] - die Blätter
left, remaining [left | rɪ'meɪnɪŋ] - übrig
leg [leg] - das Bein
lemon ['lemən] - die Zitrone
lemonade [ˌlemə'neɪd] - die Limonade
less [les] - weniger
lesson ['lesən] - der Unterricht
lessons ['lesənz] - der Unterricht
let's [lets] - lass(t) uns
lie down [laɪ daʊn] - sich hinlegen
light [laɪt] - das Licht
like, be fond of something ['laɪk | bɪ fɔnd əv 'sʌmθɪŋ] - etwas mögen, gern haben
line [laɪn] - die Schlange
listen ['lɪsən] - hören, zuhören
live [laɪv] - leben, wohnen
living room ['lɪvɪŋ ruːm] - dasWohnzimmer

load [ləʊd] - laden, beladen
located [ləʊ'keɪtɪd] - befindet sich
look [lʊk] - schauen, sehen
loud [laʊd] - laut
love ['lʌv] - lieben
low [ləʊ] - niedrig
lunch ['lʌntʃ] - das Mittagessen
make ['meɪk] - machen, tun, herstellen
make happy ['meɪk 'hæpɪ] - glücklich machen
make noise ['meɪk nɔɪz] - Lärm machen
make someone angry ['meɪk 'sʌmwʌn 'æŋgrɪ] - jemanden wütend machen
map [mæp] - die Karte
mark [mɑːk] - markieren
marker ['mɑːkə] - der Marker
masculine, men's ['mæskjʊlɪn | menz] - männlich, für Männer
mass (in Church) [mæs ɪn tʃɜːtʃ] - die Messe
mastery, art ['mɑːstərɪ | ɑːt] - die Kunst
match [mætʃ] - das Spiel
matching, fitting ['mætʃɪŋ | 'fɪtɪŋ] - passend
mathematical [ˌmæθə'mætɪkəl] - mathematisch
mattress ['mætrɪs] - die Matratze
me, to me [miː | tə miː] - mir/mich, zu mir
mean [miːn] - meinen
measure ['meʒə] - messen
meat [miːt] - das Fleisch
meat tenderizer [miːt 'tɛndəˌraɪzə] - der Fleischklopfer
memorize ['meməraɪz] - sich einprägen
mend, repair [mend | rɪ'peə] - reparieren
middle ['mɪdəl] - die Mitte
mind, object [maɪnd | tʊ əb'dʒekt] - widersprechen
minute [maɪ'njuːt] - die Minute
mixture ['mɪkstʃə] - die Mixtur
model ['mɔdəl] - das Modell
Monday ['mʌndeɪ] - der Montag
money ['mʌnɪ] - das Geld
more, also [mɔː | 'ɔːlsəʊ] - mehr, auch
morning ['mɔːnɪŋ] - der Morgen
mortgage ['mɔːgɪdʒ] - die Hypothek
most [məʊst] - meist
most of all [məʊst əv ɔːl] - am meisten
mother ['mʌðə] - die Mutter
mouth [maʊθ] - der Mund
movement ['muːvmənt] - die Bewegung
movie, film ['muːvɪ | fɪlm] - der Film
movies ['muːvɪz] - die Filme
mushroom ['mʌʃrʊm] - der Pilz
my, mine [maɪ | maɪn] - mein, meins, meine, meiner
name ['neɪm] - der Name, nennen
nature ['neɪtʃə] - die Natur

nearby, close by ['nɪəbaɪ | kləʊz baɪ] - in der Nähe von, nah
necessary, needed ['nesəsərɪ | 'ni:dɪd] - notendig, nötig
needle ['ni:dəl] - die Nadel
neighboring ['neɪbərɪŋ] - nebenan
newspaper ['nju:speɪpə] - die Zeitung
next [nekst] - nächste/nächster/nächstes
nine [naɪn] - neun
nobody ['nəʊbədɪ] - niemand/keiner
nod [nɔd] - nicken
nose [nəʊz] - die Nase
not enough [nɔt ɪ'nʌf] - nicht genug
notice ['nəʊtɪs] - bemerken
now [naʊ] - jetzt
nowhere ['nəʊweə] - nirgendwo
nurse [nɜ:s] - die Krankenschwester
obedient [ə'bi:dɪənt] - gehorsam
offer, suggest ['ɔfə | sə'dʒest] - anbieten, vorschlagen
office ['ɔfɪs] - das Büro
older, oldest ['əʊldə | 'əʊldɪst] - ältester, älteste, ältestest
Olympics [ə'lɪmpɪks] - die Olympiade
omelet ['ɔmlɪt] - das Omelette
on time [ɔn 'taɪm] - pünktlich
one [wʌn] - ein, eins
One-thirty [wʌn 'θɜ:tɪ] - ein Uhr dreißig, halb zwei
only, just ['əʊnlɪ | dʒəst] - nur
open ['əʊpən] - öffnen
option ['ɔpʃən] - die Option
or, but [ɔ: | bʌt] - oder, aber
organize ['ɔ:gənaɪz] - organisieren
origami [ˌɔrɪ'gɑ:mɪ] - das Origami
other, another ['ʌðə | ə'nʌðə] - anderer/andere/anderes
our ['aʊə] - unser/e
own [əʊn] - eigenes, eigener, eigene
package ['pækɪdʒ] - das Paket
pain [peɪn] - der Schmerz
painful ['peɪnfəl] - schmerzhaft
palm [pɑ:m] - die Handfläche
palms [pɑ:mz] - die Handflächen
pan [pæn] - die Pfanne
paper ['peɪpə] - das Papier
pass [pɑ:s] - passieren
pass through [pɑ:s θru:] - einfädeln (in diesem Zusammenhang)
past (something) [pɑ:st 'sʌmθɪŋ] - an etwas vorbei (kommen)
patch [pætʃ] - der Flicken
pediatrician [ˌpi:dɪə'trɪʃən] - der Kinderarzt
perhaps [pə'hæps] - vielleicht
phonendoscope [fə'nɛndəˌskəʊp] - das Stethoskop
photo exhibition ['fəʊtəʊ ˌeksɪ'bɪʃən] - die Fotoausstellung
pick (mushrooms), collect (something), gather [pɪk | kə'lekt | 'gæðə] - sammeln (Pilze), pflücken

picnic ['pɪknɪk] - das Picknick
piece [piːs] - das Stück
pink [pɪŋk] - pink
place ['pleɪs] - der Platz, der Ort
plane [pleɪn] - das Flugzeug
plastic ['plæstɪk] - das Plastik
plate [pleɪt] - der Teller
play around, mess around ['pleɪ ə'raʊnd | mes ə'raʊnd] - herumspielen
pliers ['plaɪəz] - die Zange
point out [pɔɪnt 'aʊt] - zeigen
poisonous ['pɔɪzənəs] - giftig
polite [pə'laɪt] - höflich
pony ['pəʊnɪ] - das Pony
porridge ['pɔrɪdʒ] - Porridge
pound, chops [paʊnd | tʃɔps] - die Koteletts
pound, tenderize [paʊnd | 'tɛndəˌraɪz] - hämmern
pour [pɔː] - einschenken (Getränk), gießen
pour water [pɔː 'wɔːtə] - Wasser gießen
praise [preɪz] - loben
prepare [prɪ'peə] - zubereiten
prescribe (medicine) [prɪ'skraɪb] - verschreiben (Medikamente)
prescription [prɪ'skrɪpʃən] - das Rezept (für ein Medikament)
press [pres] - drücken
print out [prɪnt 'aʊt] - ausdrucken
programmer ['prəʊgræmə] - der Programmierer
proudly ['praʊdlɪ] - stolz
pull [pʊl] - ziehen
pump [pʌmp] - die Pumpe
punctual ['pʌŋktʃʊəl] - pünktlich
punctured ['pʌŋktʃəd] - ein Loch haben
pupil, student ['pjuːpəl | 'stjuːdnt] - der Schüler, der Student
put, place ['pʊt | 'pleɪs] - stellen/setzen/legen /tun
put into water, submerge ['pʊt 'ɪntə 'wɔːtə | səb'mɜːdʒ] - ins Wasser tun, untertauchen
put on ['pʊt ɔn] - anziehen
quarrel ['kwɔrəl] - streiten
question ['kwestʃən] - die Frage
quiet down ['kwaɪət daʊn] - leise werden
rain [reɪn] - der Regen
raise [reɪz] - heben
reach for (something) [riːtʃ fə 'sʌmθɪŋ] - nach etwas greifen
read [riːd] - lesen
reading ['riːdɪŋ] - lesen
ready ['redɪ] - fertig
real [rɪəl] - echt
really ['rɪəlɪ] - wirklich
receive [rɪ'siːv] - bekommen, erhalten
red [red] - rot
redness ['rednɪs] - die Rötung
remain, stay [rɪ'meɪn | steɪ] - bleiben
remind [rɪ'maɪnd] - erinnern
repair, fix [rɪ'peə | fɪks] - reparieren, die Reparatur
repay [rɪ'peɪ] - zurückzahlen
repeat [rɪ'piːt] - wiederholen, nachmachen
reprove [rɪ'pruːv] - ermahnen

responsible [rɪ'spɔnsəbəl] - verantwortungsvoll
rest, relaxation [rest | ˌriːlæk'seɪʃən] - die Pause, die Entspannung
retired person, senior citizen [rɪ'taɪəd 'pɜːsən | 'siːnɪə 'sɪtɪzən] - der Senior, der Rentner
return, come back [rɪ'tɜːn | kʌm 'bæk] - wiederkommen, zurückkehren, zurückgehen
ride, drive (somewhere) [raɪd | draɪv 'sʌmweə] - fahren
right, to the right [raɪt | tə ðə raɪt] - recht, rechts, nach rechts
right away [raɪt ə'weɪ] - sofort
ring [rɪŋ] - klingeln
river ['rɪvə] - der Fluss
roar [rɔː] - brüllen
room [ruːm] - das Zimmer, der Raum
rub with sandpaper [rʌb wɪð 'sændpeɪpə] - mit Schleifpapier reiben
rubber ['rʌbə] - das Gummi
run [rʌn] - laufen
run away [rʌn ə'weɪ] - weglaufen
runny nose ['rʌnɪ nəʊz] - laufende Nase
salary ['sælərɪ] - das Gehalt
same [seɪm] - gleiche
sandpaper ['sændpeɪpə] - das Schleifpapier
satisfied ['sætɪsfaɪd] - zufrieden
Saturday ['sætədeɪ] - der Samstag
sausage ['sɔsɪdʒ] - die Wurst
say ['seɪ] - sagen
say good bye ['seɪ gʊd baɪ] - Auf Wiedersehen sagen, sich verabschieden
say Hello ['seɪ hə'ləʊ] - Hallo sagen
scare, frighten [skeə | 'fraɪtən] - erschrecken
school [skuːl] - die Schule
scissors ['sɪzəz] - die Schere
scold [skəʊld] - ausschimpfen
screw [skruː] - die Schraube
screw in [skruː ɪn] - anschrauben
screwdriver ['skruːdraɪvə] - der Schraubenzieher
secretary ['sekrətərɪ] - die Sekretärin/der Sekretär
section ['sekʃən] - die Sektion
see (someone) off ['siː 'sʌmwʌn ɔf] - verabschieden
self [self] - selbst
set [set] - setzen, stellen
seven ['sevən] - sieben
sew [səʊ] - nähen
sew on [səʊ ɔn] - annähen
shake [ʃeɪk] - schütteln, wackeln
shake off [ʃeɪk ɔf] - etw. abschütteln
share [ʃeə] - teilen
sharply ['ʃɑːplɪ] - scharf, hart
she [ʃɪ] - sie
shed [ʃed] - abstoßen
sheet [ʃiːt] - das Laken
shelf [ʃelf] - das Regal
ship [ʃɪp] - das Schiff
shout, yell [ʃaʊt | jel] - rufen, schreien
show [ʃəʊ] - zeigen

sick leave, medical leave [sɪk li:v | 'medɪkəl li:v] - die Krankschreibung
side [saɪd] - die Seite
sidewalk ['saɪdwɔ:k] - der Bürgersteig
sign [saɪn] - unterschreiben
signature ['sɪgnətʃə] - die Unterschrift
similar, alike ['sɪmələ | ə'laɪk] - ähnlich
since [sɪns] - seit
sing [sɪŋ] - singen
sister ['sɪstə] - die Schwester
sit [sɪt] - sitzen
sit down [sɪt daʊn] - hinsetzen
situate oneself ['sɪtʃʊeɪt wʌn'self] - sich legen
six-thirty [sɪks 'θɜ:tɪ] - sechs Uhr dreißig, halb sieben
sixty ['sɪkstɪ] - sechzig
size [saɪz] - die Größe
sleep [sli:p] - schlafen
slippery jacks ['slɪpərɪ dʒæks] - der Butterpilz
smile [smaɪl] - lächeln
snatch out [snætʃ 'aʊt] - schnappen
sneeze [sni:z] - niesen
so ['səʊ] - so
sofa ['səʊfə] - das Sofa
some, a few, a little bit of [sʌm | ə fju: | ə 'lɪtəl bɪt ɔv] - ein bisschen, etwas
something ['sʌmθɪŋ] - etwas
son [sʌn] - der Sohn
soup [su:p] - die Suppe
spare, extra [speə | 'ekstrə] - der Ersatz, extra
spatter, splashes ['spætə | 'splæʃɪz] - der Spritzer
special ['speʃəl] - speziell
spoon [spu:n] - der Löffel
sport [spɔ:t] - der Sport
stage [steɪdʒ] - die Bühne
steal [sti:l] - stehlen/klauen
stop (doing something) [stɔp] - aufhören
stop [stɔp] - stoppen, anhalten, die Haltestelle
stove [stəʊv] - der Herd
straight [streɪt] - gerade
stripe [straɪp] - die Streifen
striped [straɪpt] - gestreift
study ['stʌdɪ] - studieren, lernen
stuffed bun [stʌft bʌn] - das belegte Brötchen
submit [səb'mɪt] - einreichen
succeed [sək'si:d] - Erfolg haben
successful [sək'sesfəl] - erfolgreich
such [sʌtʃ] - solches/solche/solcher
suddenly [sʌdənlɪ] - plötzlich
sun [sʌn] - die Sonne
sunny ['sʌnɪ] - sonnig
supermarket ['su:pəmɑ:kɪt] - der Supermarkt
supper (UK), dinner (USA) ['sʌpə | 'dɪnə] - das Abendessen
support [sə'pɔ:t] - unterstützen
surname, last name ['sɜ:neɪm | lɑ:st 'neɪm] - der Nachname
swallow ['swɔləʊ] - schlucken
swallowing ['swɔləʊɪŋ] - schlucken
sweep [swi:p] - fegen
swim [swɪm] - schwimmen

swimming ['swɪmɪŋ] - schwimmen
take (somewhere) [teɪk 'sʌmweə] - jemanden an einen Ort bringen
take, pick up (for example from school) [teɪk | pɪk ʌp fər ɪg'zɑːmpəl frəm skuːl] - abholen (z.B. von der Schule)
take [teɪk] - nehmen
take off [teɪk ɔf] - abnehmen
take out [teɪk 'aʊt] - rausnehmen
task [tɑːsk] - die Aufgabe
tea [tiː] - der Tee
teach [tiːtʃ] - beibringen
team [tiːm] - das Team
tear ['tɪə] - reißen
tell [tel] - erzählen
temperature ['temprətʃə] - die Temperatur
ten [ten] - zehn
terms and conditions [tɜːmz ənd kən'dɪʃənz] - die Bedingungen
thank [θæŋk] - danken
thank you [θæŋk jʊ] - danke
that [ðæt] - das, dass
the rest [ðə rest] - der Rest
the way one feels (health) [ðə 'weɪ wʌn fiːlz] - sich fühlen (Gesundheit)
their [ðeə] - ihr, ihre
them [ðəm] - sie/sich/ihnen/denen
then [ðen] - dann
thermometer [θə'mɔmɪtə] - das Thermometer
these [ðiːz] - diese
thing ['θɪŋ] - das Ding
think ['θɪŋk] - denken
thirteen [ˌθɜː'tiːn] - dreizehn
thirty ['θɜːtɪ] - dreißig
this is why [ðɪs ɪz waɪ] - deswegen
thread [θred] - der Faden
throat [θrəʊt] - der Hals
tidy ['taɪdɪ] - aufräumen
till, until [tɪl | ʌn'tɪl] - bis
time, times ['taɪm | 'taɪmz] - die Zeit, die Zeiten
tire ['taɪə] - der Reifen
to [tuː] - zu, nach
together [tə'geðə] - zusammen
tomorrow [tə'mɔrəʊ] - der Morgen
tonsil ['tɔnsɪl] - die Mandeln
too, too much [tuː | tuː 'mʌtʃ] - zu sehr, zu viel
torn off ['tɔːn ɔf] - abgerissen
touch [tʌtʃ] - berühren
towel ['taʊəl] - das Handtuch
toy [tɔɪ] - das Spielzeug
track and field athlete [træk ənd fiːld 'æθliːt] - der Leichtathlet
treatment ['triːtmənt] - die Behandlung
trip [trɪp] - der Ausflug
trunk [trʌŋk] - der Kofferraum
trust, believe [trʌst | bɪ'liːv] - vertrauen, glauben
try, attempt ['traɪ | tʊ ə'tempt] - versuchen
turn [tɜːn] - drehen/abbiegen (in diesem Zusammenhang)
turn off [tɜːn ɔf] - ausschalten
turn to [tɜːn tuː] - sich an etw./jmd. wenden, sich umdrehen

twenty ['twentɪ] - zwanzig
twice [twaɪs] - zwei Mal
type, kind [taɪp | kaɪnd] - die Art, der Typ
unfold [ʌn'fəʊld] - entfalten
up [ʌp] - hoch
us [əz] - uns
usually ['juːʒəlɪ] - normalerweise
vacuum clean ['vækjʊəm kliːn] - staubsaugen
vacuum cleaner ['vækjʊəm 'kliːnə] - der Staubsauger
vegetable ['vedʒɪtəbəl] - das Gemüse
visible ['vɪzəbəl] - sichtbar
volumetric [ˌvɔljʊ'metrɪk] - voluminös
wake (someone) up [weɪk 'sʌmwʌn ʌp] - jemanden aufwecken
walk [wɔːk] - gehen
want [wɔnt] - wollen, möchten
warm [wɔːm] - warm
warn [wɔːn] - warnen
wash [wɔʃ] - waschen
wash clothes, do laundry [wɔʃ kləʊðz | də 'lɔːndrɪ] - waschen, Wäsche waschen
wash one's face [wɔʃ wʌnz feɪs] - sich das Gesicht waschen
washed [wɔʃt] - gewaschen
washing dish ['wɔʃɪŋ dɪʃ] - die Schale
wave [weɪv] - winken
way ['weɪ] - der Weg
we [wɪ] - wir
weather ['weðə] - das Wetter
wet [wet] - nass
what ['wɔt] - was
what for ['wɔt fɔː] - wofür
where [weə] - wo
which [wɪtʃ] - welches/welche/welcher
while [waɪl] - während
who, whom [huː | huːm] - wer
whole [həʊl] - ganz
whom [tə huːm] - die, den, dem
why [waɪ] - warum
wide [waɪd] - weit
wife [waɪf] - die Ehefrau
windless ['wɪndləs] - windstill
windy ['wɪndɪ] - windig
wipe [waɪp] - wischen
wise [waɪz] - weise
wish [wɪʃ] - wünschen
without [wɪð'aʊt] - ohne
woman ['wʊmən] - die Frau (generell)
work ['wɜːk] - die Arbeit
worker ['wɜːkə] - der Arbeiter
write down ['raɪt daʊn] - aufschreiben
year ['jɪə] - Jahr
years ['jɪəz] - die Jahre
yes [jes] - ja
yesterday ['jestədɪ] - gestern
you [jʊ] - du/Sie
young [jʌŋ] - jung
younger, youngest ['jʌŋgə | 'jʌŋgɪst] - jünger, jüngste
your, yours [jə | jɔːz] - deins, deine, deiner

Wörterbuch Deutsch-Englisch

(an etwas) interessiert sein - be interested (in something) [bɪ 'ɪntrəstɪd ɪn 'sʌmθɪŋ]
(weg) geben - give (away) [gɪv ə'weɪ]
abbiegen (in diesem Zusammenhang) - turn [tɜːn]
Abend, der - evening ['iːvənɪŋ]
Abendessen, das - supper (UK), dinner (USA) ['sʌpə | 'dɪnə]
aber - but [bʌt]
abfallen, abreißen - fall off, tear off [fɔːl ɔf | teər ɔf]
abgerissen - torn off ['tɔːn ɔf]
abholen (z.B. von der Schule) - take, pick up (for example from school) [teɪk | pɪk ʌp fər ɪg'zɑːmpəl frəm skuːl]
abnehmen - take off [teɪk ɔf]
abschneiden - cut off [kʌt ɔf]
abstoßen - shed [ʃed]
acht - eight [eɪt]
ähnlich, das gleiche - similar, the same ['sɪmələ | ðə seɪm]
Aktion, die; der Akt - action, act ['ækʃən | ækt]
Aktivität, die - activity [æk'tɪvətɪ]
Alter, das - age [eɪdʒ]
ältester, älteste, ältestest - older, oldest ['əʊldə | 'əʊldɪst]
am meisten - most of all [məʊst əv ɔːl]
am Morgen - in the morning [ɪn ðə 'mɔːnɪŋ]
an einen Ort fahren - drive to (somewhere) [draɪv tə 'sʌmweə]
an etwas vorbei (kommen) - past (something) [pɑːst 'sʌmθɪŋ]
anbieten, vorschlagen - offer, suggest ['ɔfə | sə'dʒest]
anderer/andere/anderes - other, another ['ʌðə | ə'nʌðə]
ändern, wechseln - change [tʃeɪndʒ]
Anfang, der - beginning [bɪ'gɪnɪŋ]
anfangen - begin [bɪ'gɪn]
Angst bekommen - get scared ['get skeəd]
Angst haben - be afraid of, fear [bɪ ə'freɪd ɔv | fɪə]
ankommen - arrive [ə'raɪv]
ankündigen - announce [ə'naʊns]
annähen - sew on [səʊ ɔn]
anrufen, rufen - call [kɔːl]
anschrauben - screw in [skruː ɪn]
anstelle von, anstatt - instead (of) [ɪn'sted ɔv]
antworten - answer ['ɑːnsə]
anwenden - apply [ə'plaɪ]
anziehen - put on ['pʊt ɔn]
Apfel, der - apple ['æpəl]
Arbeit, die - work ['wɜːk]
arbeiten - working ['wɜːkɪŋ]
Arbeiter, der - worker ['wɜːkə]
Art, die; der Typ - kind, type [kaɪnd | taɪp]
Arzt, der/die Ärztin - doctor ['dɔktə]
atmen - breathe [briːð]

Atmung, die - breathing ['briːðɪŋ]
Auf Wiedersehen sagen, sich verabschieden - say good bye ['seɪ gʊd baɪ]
aufblasbar - inflatable [ɪn'fleɪtəbəl]
aufblasen - inflate [ɪn'fleɪt]
auffüllen - fill up [fɪl ʌp]
Aufgabe, die - task [tɑːsk]
aufgepumpt/aufgeblasen - inflated [ɪn'fleɪtɪd]
aufhören - stop (doing something) [stɔp]
aufmerksam - attentively [ə'tentɪvlɪ]
aufpumpen, aufblasen - inflate [ɪn'fleɪt]
aufräumen - tidy ['taɪdɪ]
aufschreiben - write down ['raɪt daʊn]
aufstehen - get up ['get ʌp]
aus etwas bestehen - consist of [kən'sɪst ɔv]
ausdrucken - print out [prɪnt 'aʊt]
Ausflug, der - trip [trɪp]
ausgeben, verteilen - give out [gɪv 'aʊt]
Ausrüstung, die - equipment [ɪ'kwɪpmənt]
ausschalten - turn off [tɜːn ɔf]
ausschimpfen - scold [skəʊld]
ausschneiden - cut out [kʌt 'aʊt]
ausstellen - issue ['ɪʃuː]
Auto, das - car [kɑː]
baden - bathe [beɪð]
Badezimmer, das - bathroom ['bɑːθruːm]
Ballon, der - balloon [bə'luːn]
Bank, die - bank [bæŋk]
Bedingungen, die - terms and conditions [tɜːmz ənd kən'dɪʃənz]
beenden - finish ['fɪnɪʃ]
Befestigung, die - fastening ['fɑːsənɪŋ]
befindet sich - located [ləʊ'keɪtɪd]
Behandlung, die - treatment ['triːtmənt]
bei - at [æt]
beibringen - teach [tiːtʃ]
beide/beides - both [bəʊθ]
Bein, das - leg [leg]
beißen - bite [baɪt]
bekommen, erhalten - receive [rɪ'siːv]
bekommen, nehmen - get, take ['get | teɪk]
bellen - bark [bɑːk]
bemerken - notice ['nəʊtɪs]
beraten - consult [kən'sʌlt]
berühren - touch [tʌtʃ]
beschädigt - damaged ['dæmɪdʒd]
Beschleunigung, die - acceleration [əkˌselə'reɪʃən]
Beschwerde, die - complaint [kəm'pleɪnt]
Besen, der - broom [bruːm]
besser - better ['betə]
bestimmen - determine [dɪ'tɜːmɪn]
betreten/hereinkommen - enter ['entə]
betteln - beg [beg]
Bewegung, die - movement ['muːvmənt]
biegen - bend [bend]
bis - till, until [tɪl | ʌn'tɪl]

Blasen, die - bubbles ['bʌbəlz]
Blätter, die - leaves [liːvz]
blau - blue [bluː]
bleiben - remain, stay [rɪ'meɪn | steɪ]
Bluse, die - blouse [blaʊz]
Boden, der - floor [flɔː]
Bonus, der - bonus ['bəʊnəs]
Box, die - box [bɔks]
brechen, kaputt machen - break [breɪk]
brennen - burn [bɜːn]
bringen - bring [brɪŋ]
Brot, das - bread [bred]
Bruder, der - brother ['brʌðə]
brüllen - roar [rɔː]
Buch, das - book [bʊk]
Bühne, die - stage [steɪdʒ]
Bürgersteig, der - sidewalk ['saɪdwɔːk]
Büro, das - office ['ɔfɪs]
Butterpilz, der - slippery jacks ['slɪpərɪ dʒæks]
Clown, der - clown [klaʊn]
danach, dann - after that, then ['ɑːftə ðæt | ðen]
danke - thank you [θæŋk jʊ]
danken - thank [θæŋk]
dann - then [ðen]
das, dass - that [ðæt]
das Baby Känguru - baby kangaroo ['beɪbɪ ˌkæŋgə'ruː]
das belegte Brötchen - stuffed bun [stʌft bʌn]
das unbewegliche Vermögen - immovable property [ɪ'muːvəbəl 'prɔpətɪ]
deins, deine, deiner - your, yours [jə | jɔːz]
denken - think ['θɪŋk]
deswegen - this is why [ðɪs ɪz waɪ]
Diagnose, die - diagnosis [ˌdaɪəg'nəʊsɪs]
die, den, dem - to whom [tə huːm]
die akute Atemwegserkrankung - acute respiratory disease [ə'kjuːt rɪ'spɪrətrɪ dɪ'ziːz]
die halbe Stunde - half an hour [hɑːf ən 'aʊə]
die tägliche Routine - daily routine ['deɪlɪ ruː'tiːn]
diese - these [ðiːz]
Ding, das - thing ['θɪŋ]
direktes Hypothekendarlehen - direct mortgage loan [dɪ'rekt 'mɔːgɪdʒ ləʊn]
Dokument, das - document (in this context) ['dɔkjʊment]
drehen/abbiegen - turn [tɜːn]
dreißig - thirty ['θɜːtɪ]
dreizehn - thirteen [ˌθɜː'tiːn]
drücken - press [pres]
du/Sie - you [jʊ]
dunkel werden - grow dark [grəʊ dɑːk]
echt - real [rɪəl]
Ehefrau, die - wife [waɪf]
Ei, das - egg [eg]
eigenes, eigener, eigene - own [əʊn]
ein, eins - one [wʌn]
ein bisschen, etwas - some, a few, a little bit of [sʌm | ə fjuː | ə 'lɪtəl bɪt ɔv]
ein Loch haben - punctured ['pʌŋktʃəd]
ein Uhr dreißig, halb zwei - One-thirty [wʌn 'θɜːtɪ]

eine Hand ausstrecken - put out (a hand), stretch ['pʊt 'aʊt ə hænd | stretʃ]
einfach - easy, simple ['i:zɪ | 'sɪmpəl]
einfädeln (in diesem Zusammenhang) - pass through [pɑ:s θru:]
Eingangshalle, die - entrance hall [ɪn'trɑ:ns hɔ:l]
eingeengt - cramped [kræmpt]
einreichen - submit [səb'mɪt]
einschenken (Getränk) - pour [pɔ:]
einverstanden sein - agree [ə'gri:]
elf - eleven [ɪ'levən]
empfehlen - advice [əd'vaɪs]
endlich - finally ['faɪnəlɪ]
Enkel, der - grandson ['grænsʌn]
Enkelin, die - granddaughter ['grændɔ:tə]
entfalten - unfold [ʌn'fəʊld]
entscheiden - decide [dɪ'saɪd]
entwirren - detangle [də'tæŋ gəl]
entzündet - inflamed [ɪn'fleɪmd]
Erfolg haben - succeed [sək'si:d]
erfolgreich - successful [sək'sesfəl]
erinnern - remind [rɪ'maɪnd]
erklären - explain [ɪk'spleɪn]
erlauben - allow, permit [ə'laʊ | pə'mɪt]
ermahnen - reprove [rɪ'pru:v]
Ersatz, der; extra - spare, extra [speə | 'ekstrə]
erschrecken - scare, frighten [skeə | 'fraɪtən]
Erwerb, der - acquisition [ˌækwɪ'zɪʃən]
erzählen - tell [tel]
es ist Zeit - it's time [ɪts 'taɪm]
essbar - edible ['edɪbəl]
essen - eat [i:t]
Essen, das - food [fu:d]
etw. abschütteln - shake off [ʃeɪk ɔf]
etwas - something ['sʌmθɪŋ]
etwas beenden - finish ['fɪnɪʃ]
etwas mögen, gern haben - like, be fond of something ['laɪk | bɪ fɔnd əv 'sʌmθɪŋ]
etwas zu Essen geben, füttern - feed [fi:d]
Faden, der - thread [θred]
fahren - ride, drive (somewhere) [raɪd | draɪv 'sʌmweə]
fahren (ein Auto) - drive (a car) [draɪv ə kɑ:]
fair/gerecht - fair [feə]
fallen - fall [fɔ:l]
Falte, die; falten - fold [fəʊld]
falten - folding ['fəʊldɪŋ]
Faltpapier, das - fan-fold [fæn fəʊld]
Familie, die - family ['fæməlɪ]
fangen - catch [kætʃ]
fegen - sweep [swi:p]
feierlich - celebratory [ˌselə'breɪtərɪ]
feminine, für Frauen - feminine, women's ['femənɪn | 'wɪmɪnz]
fertig - ready ['redɪ]
fest - firmly ['fɜ:mlɪ]
feucht - damp [dæmp]

Figur, die - figure ['fɪgə]
Film, der - movie, film ['muːvɪ | fɪlm]
Filme, die - movies ['muːvɪz]
finden - find [faɪnd]
Fitnessstudio, das - gym [dʒɪm]
fixieren - fixate [fɪk'seɪt]
Flasche, die - bottle ['bɔtəl]
Fleck, der - dot [dɔt]
Fleisch, das - meat [miːt]
Fleischfresser, der - carnivore ['kɑːnɪvɔː]
Fleischklopfer, der - meat tenderizer [miːt 'tɛndəˌraɪzə]
Flicken, der - patch [pætʃ]
fliegen - fly [flaɪ]
Fliegenpilz, der - amanita [ˌæmə'naɪtə]
Flugzeug, das - plane [pleɪn]
Fluss, der - river ['rɪvə]
Formular, das - form ['fɔːm]
Fotoausstellung, die - photo exhibition ['fəʊtəʊ ˌeksɪ'bɪʃən]
Frage, die - question ['kwestʃən]
fragen - ask [ɑːsk]
Frau, die (generell) - woman ['wʊmən]
frech - cheeky ['tʃiːkɪ]
frei - free [friː]
freudig - joyful ['dʒɔɪfəl]
freundlich - kind [kaɪnd]
frittieren - fry [fraɪ]
fröhlich, glücklich - joyful, happy ['dʒɔɪfəl | 'hæpɪ]
Frosch, der - frog [frɔg]
früh - early (in this context) ['ɜːlɪ]
Frühstück, das - breakfast ['brekfəst]
Frühstück essen, frühstücken - eat breakfast [iːt 'brekfəst]
fühlen - feel [fiːl]
fünfzehn - fifteen [ˌfɪf'tiːn]
für eine lange Zeit, vor einer langen Zeit - for a long time, a long time ago [fər ə 'lɔŋ 'taɪm | ə 'lɔŋ 'taɪm ə'gəʊ]
fürsorglich - caring ['keərɪŋ]
Gabel, die - fork [fɔːk]
ganz - whole [həʊl]
ganze - entire [ɪn'taɪə]
Garage, die - garage ['gærɑːʒ]
Garten, der - garden ['gɑːdən]
Gast, der - guest [gest]
geben - give [gɪv]
gebraucht - needed ['niːdɪd]
gefährlich - dangerous ['deɪndʒərəs]
Gehalt, das - salary ['sælərɪ]
gehalten werden - be held [bɪ held]
gehen - go, walk [gəʊ | wɔːk]]
gehorsam - obedient [ə'biːdɪənt]
geht - goes [gəʊz]
Geld, das - money ['mʌnɪ]
Gemüse, das - vegetable ['vedʒɪtəbəl]
genehmigen, zustimmen - approve [ə'pruːv]
gerade - straight [streɪt]
gerufen warden, heißen, sich nennen - be called [bɪ kɔːld]
gesamt - entire [ɪn'taɪə]
Geschäftsmann, der - businessman ['bɪznəsmæn]
Geschirr, das - dishes ['dɪʃɪz]
Geschirrspülen, das - dishwashing ['dɪʃwɑːʃɪŋ]
gestern - yesterday ['jestədɪ]

gestreift - striped [straɪpt]
gesund werden - get better ['get 'betə]
gewaschen - washed [wɔʃt]
gewünscht - desired [dɪ'zaɪəd]
gießen - pour [pɔː]
giftig - poisonous ['pɔɪzənəs]
Glas, das - glass ['glɑːs]
glücklich - happy ['hæpɪ]
glücklich machen - make happy ['meɪk 'hæpɪ]
glücklich sein, voller Freude sein - be happy, be joyful [bɪ 'hæpɪ | bɪ 'dʒɔɪfəl]
Grad, der - degree [dɪ'griː]
greifen - grab [græb]
Größe, die - size [saɪz]
Großmutter, die - grandmother ['græn ˌmʌðə]
Großvater, der - grandfather ['grænfɑːðə]
Gummi, das - rubber ['rʌbə]
gut - fine, good [faɪn | gʊd]
gut gemacht (in diesem Zusammenhang) - good job [gʊd dʒɔb]
Güter, die - goods [gʊdz]
Haare, die - hair [heə]
hacken - chop [tʃɔp]
halb - half [hɑːf]
hallo - hello [hə'ləʊ]
Hallo sagen - say Hello ['seɪ hə'ləʊ]
Hals, der - throat [θrəʊt]
halten - hold [həʊld]
hämmern - pound, tenderize [paʊnd | 'tɛndəˌraɪz]
Handfläche, die - palm [pɑːm]
Handflächen, die - palms [pɑːmz]
handgemacht - handmade [hænd'meɪd]
Handtuch, das - towel ['taʊəl]
hängen - hang [hæŋ]
Haus, das - house ['haʊs]
Hausfrau, die - housewife ['haʊswaɪf]
heben - raise [reɪz]
helfen - help [help]
herausfahren - drive out [draɪv 'aʊt]
herausspringen - jump out [dʒʌmp 'aʊt]
Herd, der - stove [stəʊv]
hereinbitten (in einen Raum) - invite [ɪn'vaɪt]
herumspielen - play around, mess around ['pleɪ ə'raʊnd | mes ə'raʊnd]
hier - here [hɪə]
hinfahren, hinbringen - drive, take somewhere [draɪv | teɪk 'sʌmweə]
hinsetzen - sit down [sɪt daʊn]
hoch - up [ʌp]
höflich - polite [pə'laɪt]
Honig, der - honey ['hʌnɪ]
hören - hear [hɪə]
Hund, der - dog [dɔg]
hundert - hundred ['hʌndrəd]
hungrig werden - get hungry ['get 'hʌŋgrɪ]
hurra - hooray [huː'reɪ]
Hypothek, die - mortgage ['mɔːgɪdʒ]
ich - I ['aɪ]
ihr/ihre/sich - her, their [hə | ðeə]
in der Nähe von, nah - nearby, close by ['nɪəbaɪ | kləʊz baɪ]

in die Hälfte, entzwei - in half [ɪn hɑːf]
in Eile sein, es eilig haben - be in a hurry, be in a rush [bɪ ɪn ə 'hʌrɪ | bɪ ɪn ə rʌʃ]
in Richtung... fahren/gehen - head off to [hed ɔf tuː]
Information, die - information [ˌɪnfə'meɪʃən]
innerer/innere/inneres - inner ['ɪnə]
ins Wasser tun, untertauchen - put into water, submerge ['pʊt 'ɪntə 'wɔːtə | səb'mɜːdʒ]
Instrument, das - instrument ['ɪnstrʊmənt]
interessant - interesting ['ɪntrəstɪŋ]
ja - yes [jes]
Jahr - year ['jɪə]
Jahre, die - years ['jɪəz]
jemanden an einen Ort bringen - take (somewhere) [teɪk 'sʌmweə]
jemanden aufwecken - wake (someone) up [weɪk 'sʌmwʌn ʌp]
jemanden mit etwas fahren lassen, reiten lassen - give a ride (to somebody) [gɪv ə raɪd tə 'sʌmbədɪ]
jemanden wütend machen - make someone angry ['meɪk 'sʌmwʌn 'æŋgrɪ]
jetzt - now [naʊ]
jung - young [jʌŋ]
Junge, der - boy [ˌbɔɪ]
jünger, jüngste - younger, youngest ['jʌŋgə | 'jʌŋgɪst]
Kaffee, der - coffee ['kɔfɪ]
Kamera, die - camera ['kæmərə]
kann - can [kæn]
Kappe, die (von einem Pilz) - cap (of the mushroom) [kæp]
kaputt - broken, damaged ['brəʊkən | 'dæmɪdʒd]
Karte, die - card, map [kɑːd | mæp]
Käse, der - cheese [tʃiːz]
kaufen - buy [baɪ]
Kind, das - child [tʃaɪld]
Kinderarzt, der - pediatrician [ˌpiːdɪə'trɪʃən]
Kindergarten, der - kindergarten ['kɪn dərˌgɑrdn]
klatschen - clap [klæp]
kleben, der Kleber - glue [gluː]
Kleidung, die - clothes [kləʊðz]
klingeln - ring [rɪŋ]
Knopf, der - button ['bʌtən]
Knopfloch, das - buttonhole ['bʌtənhəʊl]
kochen, zubereiten - cook, prepare [kʊk | prɪ'peə]
Kochtopf, der - cooking pot ['kʊkɪŋ pɔt]
Kofferraum, der - trunk [trʌŋk]
Kollege, der - colleague ['kɔliːg]
kommen - come, coming [kʌm | 'kʌmɪŋ]
Komödie, die - comedy ['kɔmədɪ]
komplett - completely [kəm'pliːtlɪ]
Kompott, der - compote, stewed fruit ['kɔmpɔt | stjuːd fruːt]

kontrollieren, überprüfen - check [tʃek], control [kən'trəʊl]
Konzert, das - concert [kən'sɜːt]
kopfüber - upside down ['ʌpsaɪd daʊn]
Kopie, die - copy, sample ['kɔpɪ | 'sɑːmpəl]
Koteletts, die - pound, chops [paʊnd | tʃɔps]
krank werden - get sick ['get sɪk]
Krankenhaus, das; die Klinik - hospital, clinic ['hɔspɪtəl | 'klɪnɪk]
Krankenschwester, die - nurse [nɜːs]
Krankheit, die; die Erkrankung - disease, illness [dɪ'ziːz | 'ɪlnəs]
Krankschreibung, die - sick leave, medical leave [sɪk liːv | 'medɪkəl liːv]
Küche, die - kitchen ['kɪtʃɪn]
kühl - cool [kuːl]
Kunde, der - customer, client ['kʌstəmə | 'klaɪənt]
Kunst, die - mastery, art ['mɑːstərɪ | ɑːt]
lächeln - smile [smaɪl]
lachen - laugh [lɑːf]
laden, beladen - load [ləʊd]
Laken, das - sheet [ʃiːt]
Lärm machen - make noise ['meɪk nɔɪz]
lass(t) uns - let's [lets]
laufen - run [rʌn]
laufende Nase - runny nose ['rʌnɪ nəʊz]
laut - aloud, loud [ə'laʊd | laʊd]
leben, wohnen - live [laɪv]
Leichtathlet, der - track and field athlete [træk ənd fiːld 'æθliːt]
leichter - easier ['iːzɪə]
leise werden - quiet down ['kwaɪət daʊn]
lesen - read, reading [riːd | 'riːdɪŋ]
Licht, das - light [laɪt]
lieben - love ['lʌv]
Liebling/s - favorite ['feɪvərət]
Limonade, die - lemonade [ˌlemə'neɪd]
loben - praise [preɪz]
Loch, das - hole [həʊl]
lockig - curly ['kɜːlɪ]
Löffel, der - spoon [spuːn]
Luft, die - air [eə]
machen, tun, herstellen - do,make [duː | 'meɪk]
Mädchen, das - girl [gɜːl]
Mandeln, die - tonsil ['tɔnsɪl]
Mann, der - husband ['hʌzbənd]
männlich, für Männer - masculine, men's ['mæskjʊlɪn | menz]
Mantel, der (vom Fahrrad) - casing ['keɪsɪŋ]
Marker, der - marker ['mɑːkə]
markieren - mark [mɑːk]
mathematisch - mathematical [ˌmæθə'mætɪkəl]
Matratze, die - mattress ['mætrɪs]
mehr, auch - more, also [mɔː | 'ɔːlsəʊ]

mein, meins, meine, meiner - my, mine [maɪ | maɪn]
meinen - mean [miːn]
meist - most [məʊst]
Messe, die - mass (in Church) [mæs ɪn tʃɜːtʃ]
messen - measure ['meʒə]
Messer, das - knife [naɪf]
mild - bland (about an illness) [blænd]
Minute, die - minute [maɪ'njuːt]
mir/mich, zu mir - me, to me [miː | tə miː]
mit Schleifpapier reiben - rub with sandpaper [rʌb wɪð 'sændpeɪpə]
Mittagessen, das - lunch ['lʌntʃ]
Mitte, die - middle ['mɪdəl]
Mixtur, die - mixture ['mɪkstʃə]
Modell, das - model ['mɔdəl]
Montag, der - Monday ['mʌndeɪ]
Morgen, der - morning, tomorrow ['mɔːnɪŋ | tə'mɔrəʊ]
müde werden - get tired ['get 'taɪəd]
Mund, der - mouth [maʊθ]
muss (etwas tun) - have to (do something) [həv tə də 'sʌmθɪŋ]
Mutter, die - mother ['mʌðə]
nach - after ['ɑːftə]
nach etwas greifen - reach for (something) [riːtʃ fə 'sʌmθɪŋ]
Nachname, der - surname, last name ['sɜːneɪm | lɑːst 'neɪm]
nächste/nächster/nächstes - next [nekst]
Nadel, die - needle ['niːdəl]
nähen - sew [səʊ]
Name, der; nennen - name ['neɪm]
Nase, die - nose [nəʊz]
nass - wet [wet]
nass werden - get wet ['get wet]
Natur, die - nature ['neɪtʃə]
nebenan - neighboring ['neɪbərɪŋ]
nehmen - take [teɪk]
neun - nine [naɪn]
nicht genug - not enough [nɔt ɪ'nʌf]
nicken - nod [nɔd]
niedrig - low [ləʊ]
niemand/keiner - nobody ['nəʊbədɪ]
niesen - sneeze [sniːz]
nirgendwo - nowhere ['nəʊweə]
normalerweise - usually ['juːʒəlɪ]
notendig, nötig - necessary, needed ['nesəsərɪ | 'niːdɪd]
nötig, notwendig - needed, necessary ['niːdɪd | 'nesəsərɪ]
nur - only, just ['əʊnlɪ | dʒəst]
oder, aber - or, but [ɔː | bʌt]
öffnen - open ['əʊpən]
oh - ah [ɑː]
ohne - without [wɪð'aʊt]
Ohr, das - ear [ɪə]
Olympiade, die - Olympics [ə'lɪmpɪks]
Omelette, das - omelet ['ɔmlɪt]
Option, die - option ['ɔpʃən]
organisieren - organize ['ɔːgənaɪz]

Origami, das - origami [ˌɔrɪ'gɑːmɪ]
Paket, das - package ['pækɪdʒ]
Papier, das - paper ['peɪpə]
passend - matching, fitting ['mætʃɪŋ | 'fɪtɪŋ]
passieren - pass [pɑːs]
Pause, die; die Entspannung - break, rest, relaxation [breɪk | rest | ˌriːlæk'seɪʃən]
Pfanne, die - pan [pæn]
Picknick, das - picnic ['pɪknɪk]
Pilz, der - mushroom ['mʌʃrʊm]
pink - pink [pɪŋk]
Plastik, das - plastic ['plæstɪk]
Platz, der; der Ort - place ['pleɪs]
plötzlich - suddenly [sʌdənlɪ]
Pony, das - pony ['pəʊnɪ]
Porridge - porridge ['pɔrɪdʒ]
Programmierer, der - programmer ['prəʊgræmə]
Pumpe, die - pump [pʌmp]
pünktlich - on time, punctual [ɔn 'taɪm | 'pʌŋktʃʊəl]
pünktlich sein - be on time [bɪ ɔn 'taɪm]
quengeln - grizzle ['grɪzəl]
rausnehmen - take out [teɪk 'aʊt]
recht - right [raɪt]
rechts, richtig, nach rechts - right, to the right [raɪt | tə ðə raɪt]
Regal, das - shelf [ʃelf]
Regen, der - rain [reɪn]
Reifen, der - tire ['taɪə]
reinigen, säubern, sauber - clean, tidy ['kliːn | 'taɪdɪ]
Reinigungsmittel, das - detergent [dɪ'tɜːdʒənt]
reißen - tear ['tɪə]
Reparatur, die - repair [rɪ'peə]
reparieren - mend, repair, fix [mend | rɪ'peə | fɪks]
Rest, der - the rest [ðə rest]
Rezept, das (für ein Medikament) - prescription [prɪ'skrɪpʃən]
rot - red [red]
Rötung, die - redness ['rednɪs]
Rucksack, der - backpack ['bækpæk]
rufen, schreien - exclaim, shout, yell [ɪk'skleɪm | ʃaʊt | jel]
sagen - say ['seɪ]
sammeln (Pilze), pflücken - pick (mushrooms), collect (something), gather [pɪk | kə'lekt | 'gæðə]
Samstag, der - Saturday ['sætədeɪ]
sauber - clean [kliːn]
Schaden, der - damage ['dæmɪdʒ]
Schale, die - washing dish ['wɔʃɪŋ dɪʃ]
scharf, hart - sharply ['ʃɑːplɪ]
schauen, sehen - look [lʊk]
Schere, die - scissors ['sɪzəz]
Schiff, das - ship [ʃɪp]
schlafen - sleep [sliːp]
Schlafzimmer, das - bedroom ['bedruːm]
Schlange, die - line [laɪn]
Schleifpapier, das - sandpaper ['sændpeɪpə]
schließen - close [kləʊz]

schlucken - swallow, swallowing ['swɔləʊ | 'swɔləʊɪŋ]
Schmerz, der - pain [peɪn]
schmerzhaft - painful ['peɪnfəl]
schnappen - snatch out [snætʃ 'aʊt]
schneiden - cut [kʌt]
schon - already [ɔːl'redɪ]
Schrank, der - closet ['klɔzɪt]
Schraube, die - screw [skruː]
Schraubenzieher, der - screwdriver ['skruːdraɪvə]
Schrebergarten, der - garden plot ['gɑːdən plɔt]
schreien - clamour ['klæmə]
schuldbewusst - guiltily ['gɪltɪlɪ]
Schule, die - school [skuːl]
Schüler, der; der Student - pupil, student ['pjuːpəl | 'stjuːdnt]
schütteln, wackeln - shake [ʃeɪk]
Schwester, die - sister ['sɪstə]
schwierig - difficult ['dɪfɪkəlt]
schwimmen - swim, swimming [swɪm | 'swɪmɪŋ]
sechs Uhr dreißig, halb sieben - six-thirty [sɪks 'θɜːtɪ]
sechzig - sixty ['sɪkstɪ]
sein, seine - be, his [bɪ | hɪz]
sein bestes geben - do one's bst [də wʌnz ˌbiːˌes'tiː]
seit - since [sɪns]
Seite, die - side [saɪd]
Sekretärin, die/der Sekretär - secretary ['sekrətərɪ]
Sektion, die - section ['sekʃən]
selbst - self [self]
Senior, der; der Rentner - retired person, senior citizen [rɪ'taɪəd 'pɜːsən | 'siːnɪə 'sɪtɪzən]
setzen, stellen, legen - set [set], put ['pʊt]
sich an etw./jmd. wenden, sich umdrehen - turn to [tɜːn tuː]
sich anziehen - get dressed ['get drest]
sich aufregen - agitate, perturb ['ædʒɪteɪt | pə'tɜːb]
sich beschweren - complain [kəm'pleɪn]
sich das Gesicht waschen - wash one's face [wɔʃ wʌnz feɪs]
sich einprägen - memorize ['meməraɪz]
sich erkälten - catch a cold [kætʃ ə kəʊld]
sich fühlen (Gesundheit) - the way one feels (health) [ðə 'weɪ wʌn fiːlz]
sich hinlegen - lie down [laɪ daʊn]
sich legen - situate oneself ['sɪtʃʊeɪt wʌn'self]
sich schlagen, hinfallen - hit oneself [hɪt wʌn'self]
sich verheddern - get tangled up ['get 'tæŋgəld ʌp]
sich versammeln - gather ['gæðə]
sichtbar - visible ['vɪzəbəl]
sie - she [ʃɪ]
sieben - seven ['sevən]
singen - sing [sɪŋ]
sitzen - sit [sɪt]
so - so ['səʊ]

Sofa, das - sofa ['səʊfə]
sofort - right away [raɪt ə'weɪ]
sogar, gleich - even ['i:vən]
Sohn, der - son [sʌn]
solches/solche/solcher - such [sʌtʃ]
Sonne, die - sun [sʌn]
sonnig - sunny ['sʌnɪ]
spät sein - be late [bɪ leɪt]
später - later ['leɪtə]
speziell - special ['speʃəl]
Spiel, das - match [mætʃ]
Spielzeug, das - toy [tɔɪ]
Sport, der - sport [spɔ:t]
springen - jump [dʒʌmp]
Spritzer, der - spatter, splashes ['spætə | 'splæʃɪz]
Staub, der - dust [dʌst]
staubsaugen - vacuum clean ['vækjʊəm kli:n]
Staubsauger, der - vacuum cleaner ['vækjʊəm 'kli:nə]
stehlen/klauen - steal [sti:l]
stellen, setzen, legen - put, place ['pʊt | 'pleɪs]
Stethoskop, das - phonendoscope [fə'nɛndəˌskəʊp]
sticken - embroider [ɪm'brɔɪdə]
stolz - proudly ['praʊdlɪ]
stoppen, anhalten, die Haltestelle - stop [stɔp]
Strand, der - beach [bi:tʃ]
Streifen, die - stripe [straɪp]
streiten - quarrel ['kwɔrəl]
stricken - knit [nɪt]
Stück, das - piece [pi:s]
studieren, lernen - study ['stʌdɪ]
Stunde, die - hour ['aʊə]
Supermarkt, der - supermarket ['su:pəmɑ:kɪt]
Suppe, die - soup [su:p]
Tag - day [deɪ]
Tagesplaner, der - daily planner ['deɪlɪ 'plænə]
Tante, die - aunt [ɑ:nt]
Tasse, die - cup [kʌp]
Team, das - team [ti:m]
Tee, der - tea [ti:]
teilen - share [ʃeə]
Teller, der - plate [pleɪt]
Temperatur, die - temperature ['temprətʃə]
Termin, der - appointment [ə'pɔɪntmənt]
Thermometer, das - thermometer [θə'mɔmɪtə]
tief - deep [di:p]
Tier, das - animal ['ænɪməl]
Tochter, die - daughter ['dɔ:tə]
Tor, das - gate [geɪt]
tragen - carry ['kærɪ]
traurig sein - be sad [bɪ sæd]
trocken - dry [draɪ]
trocknen - dry [draɪ]
Tropfen, die - drops [drɔps]
Tuch, das - cloth [klɔθ]
tun, setzen, stellen, legen - put ['pʊt]
über - about [ə'baʊt]
Überprüfung, die; die medizinische Untersuchung - checkup, medical exam ['tʃekʌp | 'medɪkəl ɪg'zæm]
überrascht sein - be surprised [bɪ sə'praɪzd]
übrig - left, remaining [left | rɪ'meɪnɪŋ]

um etwas bitten, nach etwas fragen - ask (for something) [ɑːsk fə 'sʌmθɪŋ]
uns - us [əz]
unser/e - our ['aʊə]
Unterricht, der - lesson, lessons ['lesən | 'lesənz]
unterschreiben - sign [saɪn]
Unterschrift, die - signature ['sɪgnətʃə]
unterstützen - support [sə'pɔːt]
untersuchen - examine [ɪg'zæmɪn]
Vater, der - Father ['fɑːðə]
verabschieden - see (someone) off ['siː 'sʌmwʌn ɔf]
Veranstaltung, die/das Event - event [ɪ'vent]
verantwortungsvoll - responsible [rɪ'spɔnsəbəl]
verdienen - earn [ɜːn]
verlassen, gehen, lassen - leave [liːv]
verloren gehen, verschwinden - get lost, disappear ['get lɔst | ˌdɪsə'pɪə]
verschreiben (Medikamente) - prescribe (medicine) [prɪ'skraɪb]
versuchen - try, attempt ['traɪ | tʊ ə'tempt]
vertrauen, glauben - trust, believe [trʌst | bɪ'liːv]
verwirrt sein - get confused ['get kən'fjuːzd]
vielleicht - perhaps [pə'hæps]
vier Uhr dreißig, halb fünf - four-thirty [fɔː 'θɜːtɪ]
vierzig - forty ['fɔːtɪ]
Vogel, der - bird [bɜːd]
voluminös - volumetric [ˌvɔljʊ'metrɪk]
von innen - from the inside [frəm ðɪ ɪn'saɪd]
von wo - where from [weə frɔm]
vor Angst - scare, fright [skeə | fraɪt]
vorbei sein - be over [bɪ 'əʊvə]
vorbeikommen/vorbeifahren - drop by [drɔp baɪ]
vorsichtig - careful, carefully ['keəfʊl | 'keəfəlɪ]
wachsen - grow [grəʊ]
Wagen, der - carriage ['kærɪdʒ]
wählen - choose [tʃuːz]
während - while [waɪl]
Wald, der - forest ['fɔrɪst]
warm - warm [wɔːm]
warnen - warn [wɔːn]
warum - why [waɪ]
was - what ['wɔt]
Wäsche, die - laundry ['lɔːndrɪ]
Wäsche waschen - wash clothes, do laundry [wɔʃ kləʊðz | də 'lɔːndrɪ]
Wäschekorb, der - laundry basket ['lɔːndrɪ 'bɑːskɪt]
waschen - wash [wɔʃ]
Waschmittel, das - laundry detergent ['lɔːndrɪ dɪ'tɜːdʒənt]
Wasser gießen - pour water [pɔː 'wɔːtə]
wechseln (Kleidung) - change (clothes) [tʃeɪndʒ kləʊðz]
Wecker, der - alarm clock [ə'lɑːm 'klɔk]
Weg, der - way ['weɪ]

weglaufen - run away [rʌn ə'weɪ]
weinen - cry [kraɪ]
weise - wise [waɪz]
weit - wide [waɪd]
weiter - farther, further ['fɑːðə | 'fɜːðə]
weitermachen - continue [kən'tɪnjuː]
welches/welche/welcher - which [wɪtʃ]
weniger - less [les]
wenn/falls - if [ɪf]
wer - who, whom [huː | huːm]
werden - become [bɪ'kʌm]
Werkstatt, die - auto service ['ɔːtəʊ 'sɜːvɪs]
Wettbewerb, der - competition [ˌkɔmpə'tɪʃən]
Wetter, das - weather ['weðə]
widersprechen - mind, object [maɪnd | tʊ əb'dʒekt]
wie - how ['haʊ]
wie viel/e - how many, how much ['haʊ mənɪ | 'haʊ 'mʌtʃ]
wieder - again [ə'gen]
wiederholen, nachmachen - repeat [rɪ'piːt]
wiederkommen, zurückkehren, zurückgehen - return, come back [rɪ'tɜːn | kʌm 'bæk]
windig - windy ['wɪndɪ]
windstill - windless ['wɪndləs]
winken - wave [weɪv]
wir - we [wɪ]
wirklich - really ['rɪəlɪ]
wischen - wipe [waɪp]
wissen/kennen - know [nəʊ]
wo - where [weə]
Wochenende, das - day off, weekend [deɪ ɔf | wiːk'end]
wofür - what for ['wɔt fɔː]
Wohnung, die - apartment [ə'pɑːtmənt]
Wohnzimmer, das - living room ['lɪvɪŋ ruːm]
wollen, möchten - want [wɔnt]
wünschen - wish [wɪʃ]
Wurst, die - sausage ['sɔsɪdʒ]
zählen - count [kaʊnt]
Zange, die - pliers ['plaɪəz]
Zaun, der - fence [fens]
Zebrastreifen, der - crosswalk ['krɔswɔːk]
zehn - ten [ten]
zeichnen - draw [drɔː]
Zeichnung, die - drawing ['drɔːɪŋ]
zeigen - point out, show [pɔɪnt 'aʊt | ʃəʊ]
Zeit, die; die Zeiten - time, times ['taɪm | 'taɪmz]
Zeitung, die - newspaper ['njuːspeɪpə]
ziehen - pull [pʊl]
Zimmer, das; der Raum - room [ruːm]
Zitrone, die - lemon ['lemən]
zu, nach - to [tuː]
zu Abend essen - have supper/dinner [həv 'sʌpə | 'dɪnə]
zu Fuß - by foot [baɪ fʊt]
zu Mittag essen - have lunch [həv 'lʌntʃ]
zu sehr, zu viel - too, too much [tuː | tuː 'mʌtʃ]
zubereiten - prepare [prɪ'peə]
zuerst, als erstes - first ['fɜːst]

zufrieden - satisfied ['sætɪsfaɪd]
zuhause - at home, home [ət həʊm | həʊm]
zuhören - listen ['lɪsən]
zurück - back ['bæk]
zurückzahlen - repay [rɪ'peɪ]
zusammen - together [tə'geðə]
zwanzig - twenty ['twentɪ]
zwei Mal - twice [twaɪs]

Buchtipps

Das Erste Englische Lesebuch für Anfänger Band 1 Zweisprachig mit Englisch-deutscher Übersetzung Niveaustufen A1 A2

Das Buch enthält einen Kurs für Anfänger und fortgeschrittene Anfänger, wobei die Texte auf Deutsch und auf Englisch nebeneinanderstehen. Die Motivation der Leser wird durch lustige Alltagsgeschichten über das Kennenlernen neuer Freunde, Studieren, die Arbeitssuche, das Arbeiten etc. aufrechterhalten. Die dabei verwendete Methode basiert auf der natürlichen menschlichen Gabe, sich Wörter zu merken, die immer wieder und systematisch im Text auftauchen. Sätze werden stets aus den in den vorherigen Kapiteln erklärten Wörtern gebildet. Das zweite und die folgenden Kapitel des Anfängerkurses haben nur jeweils etwa dreißig neue Wörter. Die Audiodateien sind auf www.audiolego.com/Band_1.html inklusive erhältlich.

Das Erste Englische Lesebuch für Anfänger Band 2 Zweisprachig mit Englisch-deutscher Übersetzung Niveaustufe A2

Dieses Buch ist Band 2 des Ersten Englischen Lesebuches für Anfänger. Die Motivation der Leser wird durch lustige Alltagsgeschichten aufrechterhalten. Die dabei verwendete Methode basiert auf der natürlichen menschlichen Gabe, sich Wörter zu merken, die immer wieder und systematisch im Text auftauchen. Die Audiodateien sind auf www.audiolego.com/Band_2.html inklusive erhältlich.

Das Erste Englische Lesebuch für Anfänger Band 3 Zweisprachig mit Englisch-deutscher Übersetzung Niveaustufe A2

Dieses Buch ist Band 3 des Ersten Englischen Lesebuches für Anfänger. Die Motivation der Leser wird durch lustige Alltagsgeschichten aufrechterhalten. Die dabei verwendete Methode basiert auf der natürlichen menschlichen Gabe, sich Wörter zu merken, die immer wieder und systematisch im Text auftauchen. Die Audiodateien sind auf www.audiolego.com/Band_3.html inklusive erhältlich.

Das Zweite Englische Lesebuch Zweisprachig mit Englisch-deutscher Übersetzung Niveaustufen A2 B1

Der Privatdetektiv ist hinter der Frau her, die er liebt. Ehemaliger Luftwaffenpilot, entdeckt er einige Seiten in der menschlichen Natur, mit denen er nicht zurechtkommen kann. Neue Worte werden im Buch von Zeit zu Zeit wiederholt, dadurch können Sie sich leichter an sie erinnern. Die Audiodateien sind auf www.audiolego.com/Band_4.html inklusive erhältlich.

Das Erste Englische Lesebuch für Kinder und Eltern Zweisprachig mit Englisch-deutscher Übersetzung Niveaustufe A1

Das Buch enthält einen Anfängerkurs für Kinder, wobei die Texte auf Deutsch und auf Englisch nebeneinanderstehen. Mit dem ersten Kapitel gibt es Bilder und die ersten einfachen Vokabeln, aus welchen verschiedene Sätze gebildet wurden. Mit dem zweiten Kapitel kommen die nächsten Bilder und Vokabeln hinzu, bis im Laufe des Buches aus zusammengewürfelten Sätze, kleine Geschichten werden. Einfache Texte und ein ausgewählter und dosierter Grundwortschatz führen den Lernenden behutsam in die englische Sprache ein. Die Audiodateien sind auf www.audiolego.com/Band_11.html inklusive erhältlich.

Das Erste Englische Lesebuch für Kaufmännische Berufe und Wirtschaft Zweisprachig mit Englisch-deutscher Übersetzung Niveaustufen A1 A2

In jedem Kapitel wird eine Anzahl an Vokabeln vermittelt, die anschließend direkt in kurzen, einprägsamen Sätzen und Texten veranschaulicht werden. Sätze werden stets aus den in den vorherigen Kapiteln erklärten Wörtern gebildet. Dabei handelt es sich durchgehend um alltagstaugliches Material für Berufssituationen wie Telefonate, Besprechungen, Geschäftsreisen und Geschäftskorrespondenz. Die Audiodateien sind auf www.audiolego.com/Band_12.html inklusive erhältlich.

Das Erste Englische Lesebuch für Medizinische Fachangestellte Zweisprachig mit Englisch-deutscher Übersetzung Niveaustufen A1 A2

Bei diesem Lehrbuch handelt es sich um ein Lesebuch für medizinische Fachangestellte und Patientenbetreuung. Dementsprechend behandeln die Lektionstexte und Vokabeln auch Themen wie Patientengespräche, Diagnostik, die Beschreibung von Symptomen und vieles mehr, was man im Kontakt mit Ärzten und Patienten braucht. Die Lektionen sind in mehrere Blöcke unterteilt: Vokabelliste mit Lautschrift und Übersetzung, kurze Übungsdialoge und zweisprachige Texte und meistens im Anschluss einige Verständnisfragen zu den Gesprächsinhalten. Die Audiodateien sind auf www.audiolego.com/Band_13.html inklusive erhältlich.

Das Erste Englische Lesebuch für Studenten
Zweisprachig mit Englisch-deutscher Übersetzung
Niveaustufen A1 A2

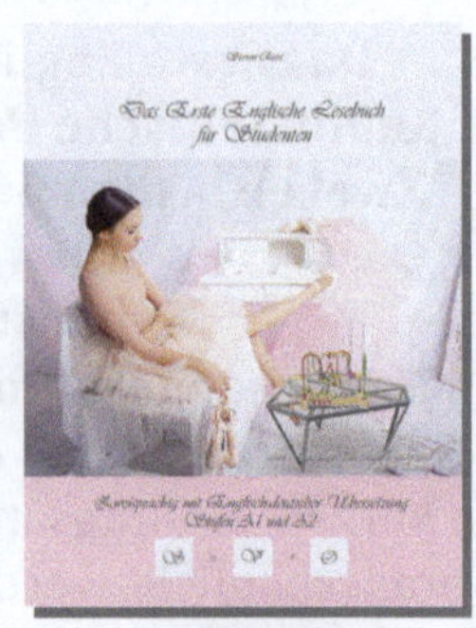

Das Buch enthält einen Kurs für Anfänger und fortgeschrittene Anfänger, wobei die Texte auf Deutsch und auf Englisch nebeneinander stehen. Die Dialoge sind praxisnah und alltagstauglich. Die Audiodateien sind auf www.audiolego.com/Band_10.html inklusive erhältlich.

Das Englische Lesebuch zum Kochen
Zweisprachig mit Englisch-deutscher Übersetzung
Niveaustufen A1 A2

Lernt man eine Sprache, hilft die Bekanntheit mit einem Thema, eine Verbindung zwischen zwei Sprachen herzustellen. Rezeptanleitungen, zusammen mit leichten Fragen und Antworten, zeigen den Gebrauch dieser Wörter und Sätze. Es könnte Ihren Appetit anregen oder Englischlernenden wie Ihnen helfen, ihre Kenntnis in einem bekannten Umfeld der Küche zu verbessern. Die Audiodateien sind auf www.audiolego.com/Band_9.html inklusive erhältlich.

Erste Englische Fragen und Antworten für Anfänger
Zweisprachig mit Englisch-deutscher Übersetzung
Niveaustufen A1 A2

Das Buch enthält einen Kurs für Anfänger und fortgeschrittene Anfänger, wobei die Texte auf Deutsch und auf Englisch nebeneinander stehen. Das Buch enthält viele Beispiele für Fragen und Antworten im Englischen. Sätze werden stets aus den in den vorherigen Kapiteln erklärten Wörtern gebildet. Die Audiodateien sind auf www.audiolego.com/Band_5.html inklusive erhältlich.

Das Erste Englische Lesebuch für Familien
Zweisprachig mit Englisch-Deutscher Übersetzung
Niveaustufen A1 A2

Das Buch enthält eine Darstellung der englischen Gespräche des täglichen Familienlebens, wobei die Texte auf Englisch und auf Deutsch nebeneinander stehen. Die dabei verwendete Methode basiert auf der natürlichen menschlichen Gabe, sich Wörter zu merken, die immer wieder und systematisch im Text auftauchen. Die Audiodateien sind auf www.audiolego.com/Band_15.html inklusive erhältlich.

Thomas's Fears and Hopes
Plain Spoken English with Idioms
Bilingual for Speakers of German
Pre-intermediate Level B1

Thomas war zu seines Vaters Beerdigung nach Georgia heimgekehrt. Er wurde informiert, dass er das ganze Vermögen bekommen würde, denn er war ein Einzelkind. Da passierten einige Ereignisse, die ihm eine Furcht einjagten. Die Audiodateien sind auf www.audiolego.com/Band_6.html inklusive erhältlich.

Fremde Wasser
Zweisprachig mit Englisch-deutscher Übersetzung
Stufe B2

Mitgründer eines Zwei-Mann-Unternehmens zu sein hat seine Vor- und Nachteile. Das kalte Wasser der Selbsttätigkeit ist aber nicht für jedermann geeignet. Die Audiodateien sind auf www.audiolego.com/Band_7.html inklusive erhältlich.

Das Erste Touristische Lesebuch für Anfänger
Zweisprachig mit Englisch-Deutscher Übersetzung
Niveaustufe A1

Das Lesebuch ist der ideale Begleiter für alle, die Sprachen unterwegs lernen wollen. Das Buch enthält am häufigsten gebrauchten Wörter, einfache Sätze und Redewendungen, um sich schnell zu verständigen. Die Audiodateien sind auf www.audiolego.com/Band_14.html inklusive erhältlich.

Who lost the money? Wer verlor das Geld? Das Erste Englische Lesebuch für Stufen A1 A2 Zweisprachig mit Englisch-Deutscher Übersetzung

Der erste Teil des Buches erklärt mit Beispielen den grundlegenden Satzbau der englischen Sprache. Der zweite Buchteil stellt einen Krimi dar. In der Anlage finden Sie die Liste der 1300 wichtigsten Wörter. Die Audiodateien sind auf www.audiolego.com/Band_16.html inklusive erhältlich.

Unexpected Circumstance
Zweisprachig mit Englisch-Deutscher Übersetzung
Niveaustufe B2

Die forensische Wissenschaft war eine von Damien Morins Leidenschaften. Inzwischen betraf das erste wirkliche Verbrechen, dass er untersuchte, seine eigene Vergangenheit. Die Audiodateien sind auf www.audiolego.com/Band_8.html inklusive erhältlich.

Zeitfracht Medien GmbH
Ferdinand-Jühlke-Straße 7
99095 Erfurt, Deutschland
produktsicherheit@kolibri360.de